JN050490

たった50の基本フレーズで、だれでも英語が話せる！

新 ゼロからスタート英会話

基本フレーズ50

CD付

妻鳥　千鶴子
Tsumatori Chizuko

Jリサーチ出版

読者のみなさんへ

英語を話すことができれば……

みなさんが英語を勉強しようと思い立ったきっかけは何でしょうか。

英語圏の人に話しかけられて返事ができなかった。海外旅行やショッピングで英語を使えたらいいのにと思った。そんな経験をされた方は多いのではないでしょうか。

かくいう私も、本格的に英語を勉強する前は、話せないために悔しい思いをしたものです。わかった気になってうなずいていたら、質問をされて実は何もわかっていなかった。店員の態度が横柄なので文句を言おうと口を開いたものの、何も言葉が出なかった。herb（ハーブ）やmilk（ミルク）といった簡単な単語が通じなかった。

ですが、こうした残念な経験が、英語を勉強しようという原動力になるのですね。

海外旅行で困らない、世界に友人ができる

英会話ができるようになると、世界が広がっていきます。海外旅行でも困らなくなり、必要なときに必要なことが言えたり、税関でしっかり対応できたり、困っている日本人のお手伝いをして喜ばれることもあるでしょう。

英語はいまや国際語ですから、英語圏はもちろん、いろいろな国の人とも友だちになるチャンスができます。楽しいことや嬉しいことがどんどん増えていくのです。

まともに英語で話すことができなかった私はその後、勉強を続け

て、英語の難しさや厳しさを今でも存分に味わっていますが、どんなに勉強を深めても「英語を使っていろいろな国の人と話す」――これこそが楽しみであり、基本であることに変わりはありません。

この本で英会話をスタートしよう！

本書は英会話をスタートするための1冊です。

まず、「基本フレーズを使いこなそう!」の例文を読んで、意味がわかるかどうかチェックしましょう。それから音声と一緒に音読して発音やイントネーションなどを確認しましょう。

スラスラ言えるようになるまで、何度も口に出すのがコツです。本を見なくても、音声と一緒に言えるようになればOKです。

また、「話すためのヒント」に目を通せば、会話フレーズの使い方がよくわかります。

「やさしい実戦英会話」では、2人それぞれの話者になりきって、練習すると効果的です。会話のキャッチボールを楽しむように練習しましょう。

できればいいなあと思ったら、さっそく始めてみましょう。この1冊を最後まで学習すれば、英会話の基礎がしっかり身についているはずです。英語で話しかけられても、もうあわてることもなくなるでしょう。

それでは、英会話の世界をエンジョイしましょう!

著者

CONTENTS

本書の使い方

本書は英会話をゼロから学習するために作成された1冊です。50の基本フレーズを覚えて、しっかり練習すれば、だれでも英語が話せるようになります。

よく使うフレーズを音読でしっかりインプットしよう！

■ 基本フレーズ
英語を話すベースになる英会話フレーズです。用途別によく使うものを選んでいます。使い方も簡単に紹介します。

■ トラック番号
CDおよびダウンロード音声（無料）のトラック番号を示します。

■ 基本フレーズを使いこなそう！
基本フレーズを使った会話文を5つ紹介します。どれも覚えておけばそのまま使えるものばかりです。まず音声をしっかり聞き、次に音声に合わせて自分でも何度も音読しましょう。

■ 音読チェック
音読したらチェックしておきましょう。3回までチェックできるようになっていますが、何度も繰り返して音読することをお勧めします。

フレーズ 1　お礼を言う

サンキュー　フォア
Thank you for ～
～をありがとう

お礼の基本はThank you.です。forの後にお礼の内容を続けましょう。名詞はそのまま、動詞はing形にする点に注意しましょう。

基本フレーズを使いこなそう！　Track 1

❶ **Thank you for your present.**
プレゼントをありがとう。
プレゼントをもらったときにひと言。

❷ **Thank you for your help.**
手伝ってくれてありがとう。
手助けしてもらったときのお礼。仕事でも使える。

❸ **Thank you for everything.**
何から何までありがとう。
everything（すべてのもの［こと］）

❹ **Thank you for inviting me.**
ご招待をありがとう。
invite（招待する）

❺ **Thank you for coming today.**
今日は来てくれてありがとう。
家や会社にわざわざ来てくれた相手に。

音読チェック ▶ □ 1回目 □ 2回目 □ 3回目

16

CD／ダウンロード音声

- **CD音声：**「基本フレーズを使いこなそう！」「これも覚えよう！」「やさしい実戦英会話」の英語音声
- **無料ダウンロード音声：**2種類あります。
  ① CDと同じ
  ② ①に「基本フレーズを使いこなそう！」「これも覚えよう！」の日本語訳が追加されたもの。

● 話すためのヒント ●

「お礼」の基本は Thank you.です。これだけでも十分使えますが、きちんとお礼を言うにはforを使い、何に対するお礼なのかを示すといいでしょう。名詞はそのまま、動詞は~ing形（動名詞）にする点に注意しましょう。応答は You are welcome.が一般的で、他にMy pleasure.、No problem.、Not at all. なども「どういたしまして」の意味で使えます。

■ 話すためのヒント

基本フレーズを会話に生かすノウハウを紹介します。表現や文法の注意点、応答の仕方などを説明します。英会話に役立つ情報が満載です。

第1章 超入門フレーズ

Thank you for everything.

これも覚えよう！

❻ **Thanks a lot.**
どうもありがとう。
◆ 少しカジュアルな言い方。

❼ **I really appreciate it.**
ありがとうございます。
◆ appreciate（感謝する）には、感謝の内容を続ける。

❽ **I'm grateful.**
感謝しています。
◆ grateful（感謝して）

17

■ これも覚えよう！

応用的な会話文を3つ紹介します。よく使う文を選んでいますので、こちらも覚えておくと、さまざまな場面で役立ちます。

2人の会話でアウトプットの練習をしよう！

■ ワンポイント アドバイス

著者の妻鳥先生からのアドバイスです。英会話をするときのちょっとしたコツや心構えを紹介してくれます。

■ やさしい 実戦英会話

基本フレーズを組み込んだ2人の会話を練習します。各フレーズについて、3つの会話が収録されています。典型的な応答も組み込まれています。

Thank you for ～への応答はYou are welcome.が代表だけど、他の応答も覚えておくと便利です。
フレーズ2 I'm sorry ～
❹ 昨日はごめんなさい
I'm deeply sorry about yesterday.
昨日は本当に申し訳なかったです。
Please don't worry.
大丈夫ですよ。
◆ 謝罪されて許す場合は、That's OK.（大丈夫です）、Don't worry.（心配しないで）、Never mind.（気にしないで）などと返答します。
❺ 遅れてしまって
I'm sorry for being late.
遅れてしまって、すみません。
Well, please be on time next time.
次は時間を守ってくださいね。
◆ I'm sorry I'm late.と言っても同意です。be on time（時間通りだ、時間を守る）
❻ 申し訳ないけれど
Sorry, but I can't make it tomorrow.
申し訳ないですが、明日は行けないんです。
No problem. I'll give you a rain check.
大丈夫です。また誘いますね。
◆ make itは「着く、出席する」などの意味。rain checkは「雨天順延券」のことで、give a rain check（またの機会にする）のように使います。
第1章
超入門フレーズ
21

〈実戦英会話の練習のしかた〉

実戦英会話はすべて２人の会話になっています。

①音声の後に〈ポーズ〉が設けられているので、そこで自分で言ってみましょう。

②まず、テキストを見ながら言ってみて、慣れてきたら音声だけを頼りに後に続いて言ってみましょう。

③一緒に勉強する人がいる場合には、一方が話者１、もう一方が話者２の役で、会話練習してみましょう。途中で話者の役を交代しましょう。

音声ダウンロードのしかた

STEP 1 **商品ページにアクセス！ 方法は次の3通り！**

①
QRコードを読み取ってアクセス。

ダイレクトにアクセス

②
https://www.jresearch.co.jp/book/b636300.html
を入力してアクセス。

ダイレクトにアクセス

③
Jリサーチ出版のホームページ（https://www.jresearch.co.jp/）にアクセスして、「キーワード」に書籍名を入れて検索。

ホームページから商品ページへ

STEP 2 **ページ内にある「音声ダウンロード」ボタンをクリック！**

STEP 3 **ユーザー名「1001」、パスワード「26066」を入力！**

STEP 4 **音声の利用方法は2通り！ 学習スタイルに合わせた方法でお聴きください！**

① 「音声ファイル一括ダウンロード」より、ファイルをダウンロードして聴く。

② ▶ボタンを押して、その場で再生して聴く。

※ダウンロードした音声ファイルは、パソコン・スマートフォンなどでお聴きいただくことができます。一括ダウンロードの音声ファイルは .zip 形式で圧縮してあります。解凍してご利用ください。ファイルの解凍が上手く出来ない場合は、直接の音声再生も可能です。

音声ダウンロードについてのお問合せ先：
toiawase@jresearch.co.jp（受付時間：平日9時～18時）

だれでも話せるようになる

英会話の5つのルール

英語が話せないのにはいくつも原因があります。妻鳥先生がその原因を探りながら、英会話の学習のしかたを教えてくれます。英会話が上手になる5つのルールを頭に入れて、学習をスタートしましょう。

英語がまったく出てこなくて、話せないんです。

英語が出てこないのは、話すための表現がインプットされていないからです。

ルール❶ まず表現をインプットしよう

英会話をするにはまず話す情報（表現）が必要です。いきなり何の英語の情報も持たずに話そうとしてもできるわけがありません。

まずは英語をどんどんインプットしていくことが先決になります。本書で取り上げるフレーズは、どこで使っても、大人として恥ずかしくないもの、自然なものを集めています。安心してどんどんインプットしてください。

インプットの方法としてお勧めしたいのは、まずはテキストを見ずに「耳から」情報を入れることです。音声だけを利用してインプットしてみましょう。それから、テキストを開いて文字を確認します。

耳からのインプットは記憶にも残りやすく、リスニング力も伸ばせて一石二鳥です。

会話の表現は浮かぶけれど、口をついて出ないんです。

英語が口をついて出ないのは、
話す練習をしていないからです。

ルール❷ 音読をして、口の筋肉をきたえよう

「音読」とは、目で読んだ情報を自分の口で実際に言ってみることです。この音読を繰り返すことによって、覚えた表現がスラスラと口から出てくるようになります。

音読をするということは、英語を話すための口の筋肉をトレーニングするということです。なので、英語を実際に使う場合、黙読だけで勉強したよりも、はるかに口から英語が出やすくなるのです。また、自分の声が耳から入るため、記憶にも残りやすいです。音読は一人でできる最高の英会話学習法なのです。

外国人を前にすると、緊張してしまいます。

外国人（話し相手）と会話できないのは、
場数が足りていないからです。

ルール❸ 2人の会話で「なりきり練習」をしよう

覚えた会話フレーズは自分でも実際に話してみましょう。本書には「やさしい実戦英会話」のコーナーがあるので、相手と会話のキャッチボールをする疑似体験ができます。実際の会話の役になりきって練習してみましょう。一人でも臨場感のある練習ができます。

また、もし同好の学習仲間がいるなら、1週間に1度、または1カ月に1度でもいいので、一緒に「やさしい実戦英会話」の練習をしてみるといいでしょう。会話練習を2人ですれば、リアルな学習になります。相手は気の合う日本人で十分です。日本人同士なら、恥ずかしがらずにアウトプットができると思います。

文法を間違うのが嫌で、言いたいことも言えません。

潔癖症（完全主義）が原因です。
もっとおおらかに話しましょう。

ルール❹ 間違うことを恐れず、どんどん話してみよう

「文法は正確に、格調高い英語で中身のある話をしたい」――そんなふうに希望する人も多いと思います。ご自分の日本語のレベルと比較して、幼稚な英語は話せないという人もいることでしょう。

気持ちはよくわかりますが、英語は「話したもの勝ち」というところもあるのです。あまり細かいことは気にせず、ミスを恐れず、どんどん使うほうが早く上達します。

日本人は日本人発音で十分でしょ。
日本人発音で何が悪いの？

通じない発音では意味がありません。
基本だけは押さえましょう。

ルール❺ 日本人の苦手な音を練習しよう

ネイティブスピーカーのように発音することにこだわる必要はありません。英語はいろいろな国の国語や公用語であり、発音は地域によってさまざまです。また、多くのノンネイティブによって話されている国際語でもあります。ただ、実際に通じることをめざすのなら、発音の基本だけは押さえておきたいものです。

ポイントになるのは、日本語にない音です。例えば、子音の「RとL」「THとS」「VとFとB」などを区別して言えるようになるだけでも、通じる確率はぐんと高くなります。巻末の「発音ミニレッスン」（p.188）で、日本人の苦手な発音を練習できるようになっていますので、このコーナーをぜひ活用してください。

超入門フレーズ

生活の中で一番よく使う定番の会話フレーズからスタートしましょう。知っているものもあると思いますが、口をついて出るようになるまで、何度も音読練習しましょう。

Track 1 ～ 15

フレーズ 1

お礼を言う

Thank you for ～

サンキュー　フォア

～をありがとう

お礼の基本はThank you.です。forの後にお礼の内容を続けましょう。名詞はそのまま、動詞はing形にする点に注意しましょう。

基本フレーズを使いこなそう！

Track 1

❶ **Thank you for your present.**
プレゼントをありがとう。

プレゼントをもらったときにひと言。

❷ **Thank you for your help.**
手伝ってくれてありがとう。

手助けしてもらったときのお礼。仕事でも使える。

❸ **Thank you for everything.**
何から何までありがとう。

everything（すべてのもの［こと］）

❹ **Thank you for inviting me.**
ご招待をありがとう。

invite（招待する）

❺ **Thank you for coming today.**
今日は来てくれてありがとう。

家や会社にわざわざ来てくれた相手に。

音読チェック ▶ 

● 話すためのヒント ●

「お礼」の基本は Thank you.です。これだけでも十分使えますが、きちんとお礼を言うにはforを使い、何に対するお礼なのかを示すといいでしょう。名詞はそのまま、動詞は～ing形（動名詞）にする点に注意しましょう。応答は You are welcome.が一般的で、他にMy pleasure.、No problem.、Not at all. なども「どういたしまして」の意味で使えます。

Thank you for everything.

これも覚えよう！

❻ Thanks a lot.
どうもありがとう。
◆ 少しカジュアルな言い方。

❼ I really appreciate it.
ありがとうございます。
◆ appreciate（感謝する）には、感謝の内容を続ける。

❽ I'm grateful.
感謝しています。
◆ grateful（感謝して）

フレーズ 2

謝罪する

アイム ソーリィ

I'm sorry ～

～をごめんなさい

I'm sorry.が謝罪の基本で、その後にforやabout、または文を続けて、謝罪の理由を付け加えることができます。

基本フレーズを使いこなそう！

Track 2

❶ **I'm very sorry.**
申し訳ありません。

veryでお詫びの気持ちのsorryを強調する。

---

❷ **I'm sorry about yesterday.**
昨日はごめんね。

お詫びの内容はaboutやforで導ける。

---

❸ **Sorry for not replying earlier.**
返信が遅くなってごめんなさい。

I'mを省略した形。reply（返信する）。

---

❹ **I'm sorry I can't do anything.**
何もできずに申し訳ないです。

I'm sorry that ～のthatを省略した形。

---

❺ **I'm sorry, but can you repeat that?**
すみませんが、もう一度言ってもらえますか。

repeat（繰り返す）。

音読チェック ▶ □1回目 □2回目 □3回目

● 話すためのヒント ●

「ごめんなさい」と謝罪する基本は、I'm sorry.です。Sorry.だけなら「ごめんね」という軽い謝罪を表現できますし、so / very / really（本当に）、awfully / terribly（非常に）などを付けて、「本当に申し訳ないです」という深いお詫びも表現できます。何に対して謝っているのかを明確にする場合は、I'm sorry (that) I'm late. = I'm sorry for being late.（遅くなってしまい、ごめんなさい）と言います。なお、I'm sorry.は「お気の毒です」という気持ちも表現できます。

I'm very sorry.

これも覚えよう！

❻ I apologize for this inconvenience.
ご不便をおかけして申し訳ありません。
◆ apologize for ～（～をお詫びする）、inconvenience（不便）

❼ Please forgive me.
お許しください。
◆ forgive（許す）

❽ It's my fault.
ごめんなさい。
◆ fault（過ち）。親しい人たちの間ではMy fault.やMy bad.（ごめん、悪い）だけでも謝罪として使える。

相手と話す練習をしてみよう！

やさしい実戦英会話

Track 3

フレーズ1 Thank you for ～

❶ 親切に感謝する

Thank you for **your kindness.**

ご親切にありがとうございます。

You're welcome.

どういたしまして。

◆「どういたしまして」は他に(It's) My pleasure. やNot at all.なども。

❷ アドバイスに感謝する

Thank you for **your advice.**

アドバイスをありがとう。

Not at all. Anytime.

どういたしまして。いつでもどうぞ。

◆ Anytimeは「またいつでもどうぞ」の意味。

❸ 招待に感謝する

Thank you for **having me.**

ご招待をありがとうございます。

Thank you for **coming.**

お越しいただきありがとうございます。

◆ haveの代わりにinviteを使った言い方もできます。応答のyouを強く発音すれば、「こちらこそ」の気持ちが伝わります。

Thank you for ～への応答はYou are welcome.が代表だけど、他の応答も覚えておくと便利です。

フレーズ2 I'm sorry ～

❹ 昨日はごめんなさい

I'm deeply sorry about yesterday.

昨日は本当に申し訳なかったです。

Please don't worry.

大丈夫ですよ。

◆ 謝罪されて許す場合は、That's OK.（大丈夫です）、Don't worry.（心配しないで）、Never mind.（気にしないで）などと返答します。

❺ 遅れてしまって

I'm sorry for being late.

遅れてしまって、すみません。

Well, please be on time next time.

次は時間を守ってくださいね。

◆ I'm sorry I'm late.と言っても同意です。be on time（時間通りだ、時間を守る）

❻ 申し訳ないけれど

Sorry, but I can't make it tomorrow.

申し訳ないですが、明日は行けないんです。

No problem. I'll give you a rain check.

大丈夫です。また誘いますね。

◆ make itは「着く、出席する」などの意味。rain checkは「雨天順延券」のことで、give a rain check（またの機会にする）のように使います。

フレーズ 3

声をかける

エクスキューズ　ミー　バットゥ

Excuse me, but ～

すみませんが～

Excuse meで相手の注意を引いて、butに続けて用件を伝えます。さまざまな場面で使える便利な表現です。butは省略可。

基本フレーズを使いこなそう！

Track 4

❶ **Excuse me, but do you have a moment?**
すみませんが、少しお時間をよろしいですか。

moment（わずかの間）

❷ **Excuse me, but are you Ms. March?**
すみませんが、マーチさんですか。

❸ **Excuse me, but is this the way to the station?**
すみませんが、これは駅への道でしょうか。

❹ **Excuse me, but can you press 16 for me, please?**
すみませんが、16階を押していただけますか。

❺ **Excuse me for interrupting you.**
お邪魔してすみません。

interrupt（邪魔をする）

● 話すためのヒント ●

Excuse me.は人の注意を引くためのひと言で、日本語の「すみません」に当たります。excuseは「許す」「弁解する」などの意味がある動詞です。Excuse me.だけでも状況から十分理解してもらえることもありますが、Excuse me, (but) let me through.（すみませんが、通してください）のようにひと言添えることでこちらの意図をより明確に伝えることができます。

これも覚えよう！

❻ **Excuse me for a moment.**
ちょっとすみません。

❼ **If you'll excuse me, I'd like to go home.**
よろしければ、帰らせていただきます。
◆ You must excuse me.なら「帰らなくてはいけないんです」の意味。

❽ **Excuse me, but you are in my seat.**
すみません、私の座席なのですが。
◆ 自分の座席に人が座っている場合に使える。

音読チェック▶ □1回目 □2回目 □3回目

フレーズ 4

欲求を表す

I want ～ / I'd like ～

（アイ ウォントゥ / アイドゥ ライク）

～がほしい、～したい

I wantやI'd likeに自分が望むもの（こと）を続けて言います。I'd likeはI wantの丁寧な言い方です。

基本フレーズを使いこなそう！

Track 5

❶ **I want some more rice.**
もうちょっとご飯がほしい。

rice（ご飯）

❷ **I want something sweet.**
何か甘いものがほしい。

something(～もの)には形容詞を後ろに付ける。

❸ **I want to go out.**
出かけたいなあ。

go out（出かける、外出する）

❹ **I'd like one more, please.**
もう1つ（1杯）いただきたいです。

追加で注文したり、食べ物・飲み物のおかわりをしたりするのに使う。

❺ **I'd like to say a few words.**
少し発言したいのですが。

say a few words（二言、三言言う、ちょっと挨拶をする）

音読チェック ▶ □ 1回目 □ 2回目 □ 3回目

● 話すためのヒント ●

「～がほしい」「～したい」と自分の欲求を表現する基本はI want ～やI'd like (= I would like) ～です。品物などがほしい場合は、I want [I'd like] this.（私はこれがほしい）のようにほしいものを続けるだけです。何かをしたい場合は、I want [I'd like] to go shopping.（買い物に行きたい）のように、〈to + 動詞〉を続けます。I'd like ～の方が少し丁寧で、最後に pleaseを付けるとさらに丁寧になります。

I want to go out.

これも覚えよう！

❻ **I feel like eating out.**
外食したいです。
◆ feel like ～（～したい）には動名詞を続ける。

❼ **I hope to see you soon.**
すぐに会えるといいですね。
◆ hope to do（～することを希望する）

❽ **I wish you were here.**
あなたがここにいたらいいのに。
◆ wish（～を願う）が導く文は過去形にする（仮定法過去）。

□ 1回目 □ 2回目 □ 3回目

相手と話す練習をしてみよう！

やさしい実戦英会話

Track 6

フレーズ3 Excuse me, but ～

❶ 初対面の人に

Excuse me, but are you Ms. March?

すみませんが、マーチさんですか。

No, I'm not.

いいえ、違います。

◆ 初対面の人と駅などで待ち合わせて声をかける場合に。

❷ 道を確かめる

Excuse me, but is this the way to the station?

すみませんが、これは駅への道でしょうか。

Yes, go straight and turn left at the second traffic light.

はい、まっすぐに行って2番目の信号を左に曲がってください。

◆ go straight（まっすぐ行く）、traffic light（信号機）

❸ お邪魔して…

Excuse me for interrupting you.

お邪魔してすみません。

That's OK. What is it?

かまわないですよ。何でしょう？

◆ Excuse me, but can I interrupt you?としてもほぼ同意。

I'd love to!は「ぜひそうしたい」と強い希望を伝えるのに使えます。

フレーズ4 I want ～ / I'd like ～

❹ 温かいものがほしい

I want something hot.

何か温かいものがほしいです。

Maybe coffee?

コーヒーですか。

◆ something hot to drinkとすれば、「飲むための温かいもの」という意味合いになります。

❺ パーティーに行きたい

Would you like to go to Tommy's party?

トミーのパーティーに行きたいですか。

I'd love to!

ぜひ！

◆ I'd love to.は I'd love to go to Tommy's party.の下線部を省略していますが、応答に使って「ぜひそうしたい」という気持ちを表現できます。

❻ 何がほしい？

What do you want for your birthday?

誕生日には何がほしい？

I want a tablet.

タブレットがほしいな。

◆ What do you want?だけで止めると失礼なることもあるため、for your birthday（誕生日に）やfor Christmas（クリスマスに）などの目的を入れるといいでしょう。

依頼する

キャン　ユー　　ウィル　ユー

Can you ～? / Will you ～?

～してくれますか

人に何かを依頼するときには、Can youやWill youで始めて、依頼内容を続けます。pleaseを付けると丁寧さが増します。

基本フレーズを使いこなそう！

Track 7

❶ **Can you give me a hand?**
手伝ってくれますか。

give ～ a hand（手伝う）

❷ **Can you turn on the light?**
電気をつけてくれますか。

turn on（(電気などを）つける）

❸ **Will you pick up Jihun?**
ジフンを車で拾ってもらえますか。

pick up（車で拾う）

❹ **Will you show me how to do that?**
そのやり方を教えてくれますか。

show（見せる、(動作などで）教える）

❺ **Would you do me a favor?**
お願いがあるのですが。

favor（親切な行為）を使った依頼の表現。

音読チェック ▶

● 話すためのヒント ●

「手伝ってくれますか」と相手に依頼するとき、親しい相手には Can you help me?と聞きます。上司などにはWill you help me please?と言うと丁寧にお願いすることができます。さらに、willとcanの過去形を使ってWould you ～? / Could you ～?と聞くと、とても丁寧な依頼表現になります。なお、Can you ～?に対して、No, I can't.（だめなんだ）は断る表現として問題ないですが、Will you ～?に対して、No, I won't.と答えると手伝う気がない意味合いになるので注意が必要です。

Can you give me a hand?

これも覚えよう！

❻ Would you mind taking a picture?
写真を撮っていただけますか。
◆ Would you mind ～ingは丁寧な依頼表現。

❼ I was wondering if I could use this box.
この箱を使わせていただいてもかまわないでしょうか。
◆ I was wondering if ～はとても丁寧なお願いの表現。

❽ I'd appreciate it if you could give me more time.
もう少し時間をいただけるとありがたいです。
◆ I'd appreciate it if ～もとても丁寧なお願いの表現。

フレーズ 6

提案する・勧誘する

ワイ　ドゥンチュー　ハウ　アバウトゥ

Why don't you ~? / How about ~?

~はどうですか

Why don't youには動詞の原形を、How aboutには名詞（動名詞）を続けるのが基本です。

基本フレーズを使いこなそう！

Track 8

❶ Why don't you **give it a try?**
試しにやってみたらどうですか。

give it a try（試しにやってみる）

❷ Why don't you **join us?**
一緒に来ませんか。

join（加わる）

❸ Why don't you **sleep on it?**
一晩よく考えてみたらどう？

sleep on ~（~について一晩考える）

❹ How about **a drink?**
一杯どう？

「飲みに行こう」と誘うフレーズ。

❺ How about **meeting at the shop?**
あの店で会うのはどうでしょう？

How aboutの後に動詞を続けるときはing形にする。

音読チェック▶ □1回目 □2回目 □3回目

● 話すためのヒント ●

Why don't you come with us?を直訳すれば「なぜあなたは私たちと一緒に来ないのか」と理由をたずねる文ですが、「一緒に来ませんか」と相手を誘う表現にもなります。How about ～?も勧誘や提案に使え、How about next Sunday?（来週日曜日はどうですか）のように名詞を続けます。「私たちと一緒に来ませんか」と言いたい場合は、How about coming with us?と、続ける動詞をing形（動名詞）にします。

Why don't you join us?

これも覚えよう！

❻ Shall we stop here for today?
今日はここまでにしましょうか。
◆ Shall we ～?（～しましょうか）

❼ Let's move on to the next page.
次のページに行きましょう。
◆ Let's (= Let us)も提案・勧誘の表現で使える。

❽ What do you say to a beer after work?
仕事が終わったら、ビールでもどう？
◆ What do you say to ～?(～にどう言いますか→～はどうでしょうか)

相手と話す練習をしてみよう！
やさしい実戦英会話

Track 9

フレーズ5 Can you ～? / Will you ～?

❶ 手伝ってほしい

This is too heavy. Can you give me a hand?

これは重すぎる。手伝ってもらえる？

Sure! No problem.

もちろん！　大丈夫。

◆ 断るなら、Sorry, I can't.で大丈夫ですが、できればI have to go to the station right now.(駅にすぐ行かなければならない)など理由を付け加えるほうがいいでしょう。

❷ 道を教えて

Will you show me the way to your office?

あなたのオフィスへの道を教えていただけますか。

Certainly! I'll show you a map.

もちろんです。地図をお見せしましょう。

◆ Will you ～?で依頼されて断る場合は、I'm sorry, but I can't do that now.（すみません、今それをできません）などのように言います。

❸ お願いがある

Would you do me a favor?

お願いがあるのですが。

Of course. What can I do for you?

いいですよ。何をしましょうか。

◆ 質問は直訳すれば、「親切なことを私にしてくれますか」で、「お願いがある」という意味合いです。Of course.（もちろん）は快諾する応答です。

相手の依頼を快諾するときには、Sure.、Certainly.、Of course.などを使います。

フレーズ6 Why don't you ～? / How about ～?

❹ 馬に乗る

I've never ridden a horse.

馬には乗ったことがないんです。

Why don't you give it a try?

試しにやってみたら？

◆ ride a horse（馬に乗る）。応答はHow about giving it a try?としても同意です。

❺ 一晩考えてみたら？

I can't decide which is better for us.

私たちにとってどちらがいいか、決められないです。

How about sleeping on it?

一晩よく考えてみたら？

◆ 応答はWhy don't you sleep on it?としてもいいです。

❻ 次の会議の予定

When shall we have the next meeting?

いつ次の会議をしましょうか。

How about next Monday?

次の月曜日はどうですか。

◆ 応答はWhy don't we have one (= the next meeting) next Monday?としても同意です。

フレーズ 7

許可を求める

Can I ～? / May I ～?

(キャン アイ / メイ アイ)

～してもいいですか

相手に許可を求めるには、Can IやMay Iで始めて、許可の内容を続けます。May I ～のほうが少し丁寧です。

基本フレーズを使いこなそう！

Track 10

1. **Can I use this laptop?**
   このノートパソコンを使ってもいいですか。
   laptop（ノートパソコン）

2. **Can I call you Mina?**
   あなたのことをミナと呼んでもいいですか。
   call A B（AをBと呼ぶ）

3. **Can I go out tonight?**
   今夜出かけてもいいですか。
   go out（出かける、外出する）

4. **May I leave the table?**
   席を立ってもよろしいでしょうか。
   leave the table（テーブルを離れる、席を立つ）

5. **May I talk to you now?**
   今、お話ししてもよろしいでしょうか。
   talk to ～（～と話をする）

音読チェック

● 話すためのヒント ●

「入ってもいいですか」と言いたい場合、Can [May] I come in?と表現できます。Mayを使う方がより丁寧になります。May I?やCan I?だけでも場面によっては通用します。例えば、座席を指してMay I?と言えば、座ってもいいかを聞いているとわかり、相手は Sure.とかYes, go ahead.など「どうぞ」と答えてくれるでしょう。May I ～?と聞かれて、Yes, you may.（よろしい）と返事をすると、とても偉そうに聞こえるので注意しましょう。

May I talk to you now?

これも覚えよう！

❻ May I ask you a favor?
お願いをしてもいいでしょうか。
◆ ask a favor（お願いをする）

❼ Is it OK if I go home now?
帰ってもいいですか。
◆ OKをall rightにすると少し丁寧になる。

❽ I wonder if I could borrow these books.
これらの本を貸していただけるでしょうか。
◆ I wonder if I could ～は、許可や承諾などを求める場合に使える丁寧な表現。

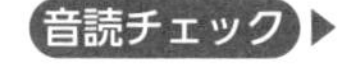
音読チェック▶

1回目 2回目 3回目

フレーズ 8

丁寧に許可を求める

Do you mind ～?
ドゥ ユー マインドゥ

～してくれますか／～してもいいですか

相手に丁寧に許可を求めるときには、Do you mindで始めます。mindの後は動名詞です。文を続けるときはifを使います。

基本フレーズを使いこなそう！

Track 11

❶ Do you mind **turning up the temperature?**
温度を上げていただけますか。

❷ Do you mind **showing your ticket?**
チケットを見せていただけますか。

show（見せる）

❸ Do you mind **me making a telephone call here?**
ここで電話をしてもいいですか。

❹ Do you mind **if I join you?**
ご一緒してもいいですか。

Do you mind ifの後には文を続ける。

❺ Do you mind **if we use this room?**
私たちがこの部屋を使ってもいいですか。

音読チェック ▶

1回目 2回目 3回目

● 話すためのヒント ●

Do you mind ～?は「～はよろしいですか」と許可を求める場合に使います。mindは「気にする」なので、答え方に注意が必要です。Do you mind if I smoke here?（ここでタバコを吸ってもいいですか）と聞かれて、かまわないなら、No (I don't mind). Go ahead.（いいですよ、どうぞ）、嫌ならYes (I mind). I'd rather you didn't.（気にします。できれば控えてほしいです）のようにYesとNoの使い方に注意しましょう。また喫煙している人にDo you mind?と言えば、「やめてもらえますか」という意味にもなります。

これも覚えよう！

❻ **Would you mind taking a picture of us?**
私たちの写真を撮っていただけませんか。
◆ Doの代わりにWouldを使えば、より丁寧になる。

❼ **Would you mind if I invited her?**
彼女を招待してもいいでしょうか。
◆ とても丁寧な表現。ifの後は通常、過去形を使う。

❽ **Is it all right if I videotape this meeting?**
この会議を録画してもいいでしょうか。
◆ videotape（録画する）

Track 12

フレーズ7 Can I ～? / May I ～?

❶ 入ってもいい？

入ってもいいですか。

Yes, please come in.

どうぞ、入ってください。

◆ 面接などフォーマルな場面ではMay I come in?という方がベターです。

❷ 名前を教えて

May I have your name, please?

お名前をいただけますでしょうか。

Of course. I'm Evelyn Smith.

もちろんです。エヴリン・スミスです。

◆ 質問のように、最後にpleaseを付けることもできます。

❸ 発言したい

May I say a few words?

少し発言してもよろしいですか。

Certainly. Please go ahead.

もちろんです。どうぞ。

◆ 質問は、会議などで発言したい場合に使えます。

mindは「気にする」の意味なので、Do you mind ~?に対して許可をするときにはNo.やNo problem.など否定で答えるのが基本です。

フレーズ8 Do you mind ~?

❹ ご一緒したい

Do you mind if I join you?

ご一緒してもいいですか。

Of course! You are always welcome.

もちろんです。いつでも歓迎しますよ。

◆ 質問はDo you mind me joining you?としても同意。ちなみに、このmeはmyでもOK。

❺ この部屋を使いたい

Do you mind us using this room for two hours?

私たちがこの部屋を2時間使ってもいいですか。

Sure. No problem.

もちろんです。どうぞ。

◆ 質問はDo you mind if we use ~としても同意です。「2時間」と言いたい場合、for two hoursのforを忘れないようにしましょう。

❻ エアコンの温度を上げる

Do you mind turning up the temperature a little?

温度を少し上げていただけますか。

OK. Are you cold?

いいですよ。寒いですか。

◆ 質問はturn upの代わりにraiseを使ってもいいです。「下げる」はturn downです。

フレーズ 9

アドバイスする

You should ～

ユー　シュッドゥ

～したほうがいい

人に何かをアドバイスするときにはYou shouldで始めます。shouldは「～したほうがいい」というソフトなニュアンスです。

基本フレーズを使いこなそう！

Track 13

1 You should try this.
食べてみて。

試食などを勧めるときに。

2 You shouldn't say such a thing.
そんなこと、言わないほうがいいですよ。

You shouldn't ～（～しないほうがいい）。

3 Should I bring some food?
何か食べ物を持っていく方がいいかな。

bring（持っていく）

4 What should I do next?
次は何をしたらいいのですか。

相手に具体的なアドバイスを求める。

5 I should've known better.
うかつでした。

直訳すれば「より知っておくべきだった」。

音読チェック

● 話すためのヒント ●

助動詞のshouldは、「～したほうがいいですよ」とアドバイスしたり、正しいと考えられるので「～すべきです」と言ったりする場合に使うことができます。had betterも似たような意味合いで覚えている方も多いでしょうが、使い方によっては「～しないとまずいことになるよ」という強い意味合いになるので、shouldの方が無難に使えます。

You should try this.

これも覚えよう！

❻ **I suggest you talk with your family.**
ご家族と話してはどうでしょう。
◆ suggestは「提案する、勧める」の意味。

❼ **I recommend you read this article.**
この記事を読まれるといいですよ。
◆ recommend（勧める）

❽ **You might want to share this link.**
このリンクを共有してはどうでしょう。
◆ might want toはとてもソフトで丁寧な表現。share（共有する）

フレーズ 10

可能を表す

You can ～

ユー　キャン

あなたは～できる

「～できる」と言うには助動詞のcanを使います。canの後に動詞を続けます。be able toなど他の表現も練習しておきましょう。

基本フレーズを使いこなそう！

Track 14

❶ **You can do better.**
もっと上手にできるよ。

do better（もっと上手にする）

❷ **Can you come here at ten?**
10時にここに来られますか。

❸ **He can speak French.**
彼はフランス語が話せます。

French（フランス語）

❹ **We can't park here.**
ここには駐車できません。

can'tで「～できない」。park(駐車する)

❺ **They're doing all they can.**
彼らはできることをすべてしてくれています。

they canの後ろにdoが省略されている。

音読チェック ▶ □1回目 □2回目 □3回目

● 話すためのヒント ●

「〜できる」と言いたい場合は、助動詞canを動詞の前に置くのが基本です。You sing well.だと「あなたは上手に歌う」ですが、You can sing well.とcanを付ければ、「あなたは上手に歌うことができる」と可能の意味が出せます。canは奥が深く、You can swim faster.は「もっと速く泳げる」という能力や可能性、You can talk to her now.は「彼女と今話せる」という状況、またYou can leave at six.なら「6時に帰れます」という規則で決まっていることを表現できます。

You can do better.

これも覚えよう！

❻ I was able to answer it.
私はそれに答えることができた。
◆ be able to do（〜することができる）

❼ You are capable of passing the test.
あなたはそのテストに合格できる力がある。
◆ be capable of 〜（〜することができる）

❽ Much can be done to help them.
彼らを助けるためにできることはたくさんある。

相手と話す
練習をしてみよう!

やさしい実戦英会話

Track 15

フレーズ9 You should ～

❶ しないほうがいい

You shouldn't do that.

そんなこと、しないほうがいいよ。

I know that isn't right, but ...

それが正しくないのはわかっているんだけど…

◆ that isn't rightまたはthat's not rightで「それは正しくない」。

❷ 持ち寄りの食事会

Potluck? What should I bring?

持ち寄りの食事会？　何を持って行けばいいかな。

How about your salad? Everyone loves it.

お手製のサラダは？　みんな、大好きだよ。

◆ potluck（持ち寄り料理の食事会、有り合わせの食事）

❸ 早く言えばよかった

I didn't know the date was changed.

日程が変更になったとは知りませんでした。

I should've told you earlier.

もっと早くに言えばよかったですね。

◆ should'veはshould haveの略で、後ろに動詞の過去分詞を続けて、「～すればよかった」という後悔の気持ちを表現できます。

You can ～.は使い方によっては相手を非難するニュアンスになります。話し方に気をつけて。

フレーズ10 You can ～

❹ 次はもっと上手に

I made lots of mistakes.

ずいぶん失敗したなあ。

That's OK. You can do better next time.

大丈夫。次はもっと上手にできるよ。

◆ 言い方や相手の状況によっては、「力を出し切っていない」という否定的な意味合いになります。

❺ 駐車場を探す

We can't park here.

ここには駐車できないですね。

The parking lot is over there.

駐車場は向こうですよ。

◆ このcan'tは「規則でできない」という意味で使われています。parking lot（駐車場）

❻ できることをすべて

They are doing all they can.

彼らはできることをすべてしてくれています。

Yes. I'm deeply grateful.

ええ、深く感謝していますよ。

◆ deeply（深く）、grateful（感謝して）

基本動詞を英会話に生かす❶

have

基本のイメージ

何かを「持っている」、何かが「付いている」が、haveの基本のイメージです。持っているものは物品のみでなく、生まれつきの髪や肌の色、性格も含まれます。機械、商品に付いてくる保証や特徴なども表現できます。そこから何かが「ある」「(内容として）ある」「食べる・飲む」「経験する」などの意味の広がりが出てきます。

You have beautiful hair.
きれいな髪ですね。

Let's have something to eat.
何か食べよう。

He doesn't have a job.
彼は仕事がない（失業中だ)。

This book has more than 500 pages.
この本は500ページ以上ある。

気持ちを伝える フレーズ

会話では自分の気持ちや考えを伝える必要があります。そんなときに役立つ基本的なフレーズを紹介します。相手が目の前にいると思って、気持ちを込めて言ってみましょう。

Track 16～30

フレーズ 11

思う

アイ スィンク　　　　アイ フィール

I think ～ / I feel ～

～と思う

自分が何を思っているかを伝えるときにはI thinkまたはI feelで始めて、思いの内容を続けます。

基本フレーズを使いこなそう！

Track 16

❶ **I think our team will win.**
私たちのチームが勝つと思います。

thinkなので、勝つという根拠があって思う。

❷ **I think you should set a goal first.**
まず目標を決めるべきだと思います。

❸ **I think your suggestion is very reasonable.**
あなたの提案はもっともだと思います。

reasonable（もっともだ）

❹ **I feel he's honest.**
彼は正直だと思います。

feelなので、印象などから正直だと思う。honest（正直な）

❺ **I feel you should take the job.**
あなたはその仕事に就くべきだと思います。

take the job（仕事に就く）

1回目　2回目　3回目

● 話すためのヒント ●

「思う」とひと言で言っても、英語の場合は、「理性的に思う」場合はthink、「感性で思ったり、感じたりする」場合はfeelで表現します。I think (that) he's nice.と言えば、「(行動や言動などから判断して) 彼はいい人だと思う」ということです。一方、I feel (that) he's nice.と言えば、「(印象などから) 彼はいい人だと思う」という意味合いになります。否定する場合は、I don't think [feel] ～とthink / feelで先に否定します。(×) I think [feel] he is not nice.とはあまり言いません。

I feel he's honest.

これも覚えよう!

❻ I've considered quitting the company.

会社を辞めることについてはよく考えました。

◆ considerは「よく考える、熟慮する」のニュアンス。quit the company (会社を辞める)

❼ I believe love is most important in life.

愛が人生で一番大切だと思います。

◆ believeは「確信する」のニュアンス。important (重要な)

❽ I suppose he's right.

彼が正しいと思います。

◆ thinkやbelieveより確信度は低くなる。

音読チェック

1回目 2回目 3回目

フレーズ
12

残念なことを話す

アイム　アフレイドゥ
I'm afraid ～

あいにく～

残念なことを話すときにはI'm afraidで始めて、残念な内容の文を続けます。他にもunfortunatelyなどの言い方があります。

基本フレーズを使いこなそう！

Track 17

❶ **I'm afraid I can't help you.**
あいにく、お手伝いができません。

I'm afraidの後には、残念なことが来る。

❷ **I'm afraid I disagree with your idea.**
あいにく、君の意見には反対です。

disagree（反対する）

❸ **I'm afraid I can't go with you.**
あいにく、私はあなたたちと一緒に行けません。

予定が合わないときに。

❹ **I'm afraid you misunderstood it.**
あいにく、あなたはそれを誤解していました。

misunderstand（誤解する）

❺ **I'm afraid we don't have it in stock.**
あいにく、それは在庫がありません。

have ～ in stock（～の在庫がある）

音読チェック▶ □1回目 □2回目 □3回目

● 話すためのヒント ●

残念なことを伝えなければならないときに、「あいにく～」「恐れ入りますが～」など前置きに使うのがI'm afraid ～です。例えば、I'm afraid (that) the bag is sold out.（あいにく、そのバッグは売り切れです）のように使えます。言いにくいことがある場合は、I'm afraid to say (that) ～（とても申し上げにくいのですが）とすればいいでしょう。本来、afraidは「恐れて」という意味の単語で、I'm afraid of heights.（高いところが怖い＝高所恐怖症です）のように使うこともできます。

I'm afraid I can't help you.

これも覚えよう！

❻ Unfortunately, we are fully booked.
あいにく、予約でいっぱいです。
◆ unfortunately（あいにく）は1語でI'm afraidの代わりになる。book（予約する）

❼ It's too bad you can't come.
あなたが来られないなんて残念です。
◆ It's too bad ～（～は残念だ）

❽ Regrettably, we have to say no.
残念ながら、ノーと言わざるをえません。
◆ regrettablyも1語でI'm afraidの代わりになる。

相手と話す練習をしてみよう！ やさしい実戦英会話

Track 18

フレーズ11 I think ～ / I feel ～

❶ 絵を評価する

What do you think about this picture?

この絵をどう思いますか。

I think it's wonderful.

すばらしいと思います。

◆「どう思うか」とthinkで聞く場合はWhatを使いましょう。（×）How do you think ～? / （○）How do you feel ～?

❷ お気の毒です

Their houses were damaged by the hurricane.

彼らの家は、あのハリケーンで被害を受けました。

I feel very sorry for them.

本当にお気の毒です。

◆ be damaged by ～（～で被害を被る）。応答のI feel ～は、I am ～としても同意です。

❸ 明確な目標を

What should I do first?

まず何をすべきでしょうか。

I think you should set a clear goal.

明確な目標を決めるべきだと思います。

◆ 相手に意見を求める場合、What do you think I should do first?とdo you thinkを間に入れることもよくあります。この場合、語順はshould IがI shouldになります。

I'm afraidで残念なことを伝えられたら、That's too bad.（それはとても残念です）などで応答しましょう。

フレーズ12 I'm afraid ～

❹ 賛成しかねる

I'm afraid I can't agree with you.

あいにく、あなたには賛成しかねます。

Could you tell me why?

理由を話していただけますか。

◆ I can't agree（賛成できない）は、ダイレクトにI disagree（反対です）とも言えます。

❺ ご一緒できない

I'm afraid I can't join you this time.

あいにく、今回はご一緒できません。

That's too bad.

それはとても残念です。

◆ That's too bad.またはToo bad.だけでも「残念だ」の意味を表現できます。

❻ 誤解があった

Did I misunderstand the question?

私が質問を誤解していましたか。

I'm afraid so.

あいにく、そのようです。

◆ I'm afraid so.はこのまま応答で使えます。ここでは、you misunderstood the questionをsoで言い換えています。

フレーズ
13
嬉しい・楽しい

アイム　ハッピィ
I'm happy ～
～で嬉しい

嬉しいこと・楽しいことを話すときにはI'm happyで始めて、嬉しい・楽しい内容を続けます。I feel happyも同じように使えます。

基本フレーズを使いこなそう！
Track 19

❶ **I'm happy to see you again.**
また会えて嬉しいです。
〈to do〉を続ける。

❷ **I'm happy about staying with you.**
一緒にいられて嬉しいです。
〈about 動詞ing〉を続ける。

❸ **I'm happy for your success.**
あなたが成功して嬉しいです。
〈for ～〉を続ける。success（成功）

❹ **I feel happy to be back here.**
ここに戻れて嬉しいです。
〈to be〉を続ける。

❺ **I've never felt happier.**
今が最高に幸せです。
「これ以上幸せだったことはない」→「今が一番幸せだ」。

音読チェック ▶

● 話すためのヒント ●

「嬉しい、楽しい」を意味するhappyを使う場合、I'm happy.やI feel happy.と表現します。happyの内容は、〈to do〉〈that ～〉〈for ～〉〈about 動詞ing〉などで続けます。例えば、「あなたに再会できて嬉しい」なら、I'm happy to see you again.と言えます。また人の成功などを喜ぶ場合には、I'm happy for you.と表現できます。直訳すれば「あなたのために嬉しい」、つまり「おめでとう」「すばらしいですね」と相手を称えているのです。

I've never felt happier.

これも覚えよう！

❻ **She's pleased with the local food.**
彼女はその土地の食べ物が大好きです。
◆ be pleasedでも「嬉しい」を表せる。

❼ **I'm glad to hear the news.**
その知らせを聞いて嬉しいです。
◆ be gladでも「嬉しい」気持ちを表現できる。

❽ **I'm delighted to come here.**
ここに来ることができて嬉しいです。
◆ be delightedも「嬉しい」と伝える表現。

音読チェック▶ ☐ 1回目 ☐ 2回目 ☐ 3回目

フレーズ 14

楽しむ

インジョイ
enjoy ～

～を楽しむ

「楽しむ」という言い方の基本はenjoyです。食事や映画を「楽しむ」ほかに、健康などに「恵まれる」の意味合いでも使えます。

基本フレーズを使いこなそう！

Track 20

❶ **Enjoy your meal.**
食事を楽しんでください。

命令文で、楽しむように相手に勧める。

❷ **We enjoyed having you.**
あなたが来てくれて、楽しかったです。

have youは直訳すれば「あなたを持つ」、つまり「一緒にいる」。

❸ **I enjoyed watching the TV drama last night.**
昨夜はドラマを見て楽しみました。

〈enjoy + 動詞ing〉の形。

❹ **My family all enjoy good health.**
私の家族は全員健康に恵まれている。

enjoy good health（健康を楽しむ→健康に恵まれている）

❺ **They enjoyed themselves playing video games.**
彼らはテレビゲームを楽しんだ。

video game（テレビゲーム）

1回目 2回目 3回目

● 話すためのヒント ●

自分が好きなことを話す機会は多いものです。そんなときは「楽しむ」という動詞のenjoyを使いましょう。例えば、「映画を楽しむ」は、I enjoy movies.と、enjoyに直接名詞を続けます。注意したいのは、映画を「見ることを楽しむ」のように動作を入れたい場合は、動詞をing形（動名詞）にしてI enjoy watching movies.とする点です。ここを間違わなければ、enjoyを使いこなすことができます。

Enjoy your meal.

これも覚えよう！

❻ We had a good time.
私たちは楽しみました。
◆ have a good time（楽しい時間を持つ→楽しむ）

❼ They were entertained by the movie.
彼らは映画を楽しんだ。
◆ 直訳すれば「彼らは映画に楽しまされた」。entertain（楽しませる）

❽ OK, let's have fun!
オーケー、楽しもう！
◆ have fun（楽しむ）。遊びに行く人たちにHave fun!（楽しんで！）とよく声をかける。

相手と話す練習をしてみよう！

やさしい実戦英会話

Track 21

フレーズ13 I'm happy ～

❶ 戻れて嬉しい

Welcome back!

お帰りなさい！

Thank you! I'm so happy to be back here.

ありがとう！　ここに戻れてとても嬉しいです。

◆ I'm so happyは、I feel so happyとしてもOKです。

❷ 旅行に出かける

I'm happy about travelling with you.

あなたと一緒に旅行できて嬉しいです。

Yeah, me too!

私もです。

◆ I'm happy to travel with you.としてもOK。

❸ 試験に合格した

I passed the exam!

試験に合格したよ！

I'm so happy for you!

おめでとう！

◆ I'm happy for you.は相手の成功などを祝うのにぴったりの言葉です。

Enjoy!の1語だけで「楽しんでね！」と声をかけるのに使えますよ。

フレーズ14 enjoy ～

❹ 映画を楽しむ

What did you do last night?

昨夜は何をしましたか。

I enjoyed seeing a movie.

映画を見て楽しみました。

◆ もちろんI enjoyed a movie.やI enjoyed myself seeing a movie.などでも同意になります。

❺ 食事を楽しんで

Wow! It looks yummy!

わあ！　美味しそう！

Enjoy your meal.

食事を楽しんでね。

◆ yummy（おいしい）。応答はEnjoy!だけでもOKです。

❻ ゲームを楽しむ

We enjoyed ourselves playing video games.

私たちはテレビゲームを楽しんだよ。

Good for you.

よかったね。

◆ enjoy oneselfは「楽しく過ごす」という意味。I enjoyed myself.だけで「楽しかった」という気持ちを表現できます。

フレーズ 15

悲しむ

アイム　サッドゥ

I'm sad ～

～で悲しい

悲しいことを伝えるにはI'm sadで始めて、悲しい理由や内容を続けます。I feel sadも使えます。

基本フレーズを使いこなそう！

Track 22

❶ **I'm sad you can't come.**
あなたが来られなくて悲しいです。
(that) you can't comeを続けている。

❷ **I was sad to see you off.**
あなたを見送って悲しかった。
〈to do〉を続けている。〈see 人 off〉(人を見送る)

❸ **I felt sad about the little girl.**
その少女のことを考えて悲しかった。
I feel sadに〈about ～〉を続けた形。

❹ **I've been sad since you left here.**
あなたが去ってからずっと悲しい。

❺ **He was sad to break up with his girlfriend.**
彼は恋人と別れて悲しかった。

音読チェック ▶ □ 1回目 □ 2回目 □ 3回目

● 話すためのヒント ●

「悲しい」を意味する単語はsadで、I am [feel] sad.で「私は悲しい」と表現できます。悲しい理由やその内容は後ろに続け、I am sad to hear the news.（その知らせを聞いて悲しい）や、I was sad (that) I lost their support.（彼らのサポートがなくなり悲しかった）と言えます。また、It's sad to ～ [that ～]（～して悲しい）のようにItを主語にして使うこともできます。

I've been sad since you left here.

これも覚えよう！

❻ I was heartbroken when my cat died.
猫が死んだとき胸が張り裂けそうだった。
◆ be heartbroken（胸が張り裂ける）

❼ I'm depressed because I lost my job.
失業して落ち込んでいるんだ。
◆ be depressed（落ち込んでいる）

❽ It's a pity we have to cancel it.
それをキャンセルしなくてはならないのは残念です。
◆ pity（残念な気持ち、同情）

音読チェック ▶ 

フレーズ 16

驚く

アイム　サプライズドゥ
I'm surprised ～

～に驚いている

驚いていることを話すには、I'm surprisedで始めて、驚いた内容を続けます。surpriseは「驚かせる」なので、受け身で使います。

基本フレーズを使いこなそう！

Track 23

❶ **I'm surprised to see you here.**
ここであなたに会うとは驚きです。
〈to do〉を続ける。

❷ **I'm surprised at how kind you are.**
あなたの親切さには驚きます。
〈at ～〉を続ける。

❸ **I was surprised (that) she quit her job.**
彼女が仕事を辞めて驚いた。
〈(that) ～〉を続ける。quit（辞める）

❹ **We were surprised at the result.**
その結果に私たちは驚いた。
〈at ～〉を続ける。result（結果）

❺ **The teacher was surprised by his progress.**
その先生は彼の進歩に驚いた。
〈by ～〉を続ける。

音読チェック ▶ □ 1回目 □ 2回目 □ 3回目

● 話すためのヒント ●

動詞のsurpriseは「驚かせる」の意味で、受け身にしてbe surprisedで「驚く」になります。I'm surprised.で「私は驚いている」です。驚く内容は〈at ～〉〈to do〉〈that ～〉などで続けます。例えば、ニュースに驚いた場合は、I'm surprised at [by] the news.と表現できます。なお、be surprisedは「嬉しい驚き」にも使えます。

I'm surprised to see you here.

これも覚えよう！

❻ I'm shocked he said such a thing.
彼がそんなことを言うなんてショックだ。
◆ be shocked（ショックを受けている）

❼ I'm amazed at your achievement.
あなたの功績には驚きです。
◆ be amazed（驚いている）は嬉しい驚きのこと。

❽ That's an unbelievable story.
それは途方もない話ですね。
◆ unbelievable（信じられない）はいい意味にも悪い意味にも使う。

相手と話す練習をしてみよう！ やさしい実戦英会話

Track 24

フレーズ15 I'm sad ～

❶ 君がいなくて

Are you having a good time there?

そちらでは楽しくやってる？

Yeah, but I'm sad you are not here.

うん、でも君がいなくて悲しいよ。

◆ 応答では、I miss you.（あなたがいなくて寂しい）も使えます。

❷ 恋人と別れて

How have you been?

どうしてる？

I'm still sad because I broke up with him.

彼と別れて、いまだに悲しい。

◆ 質問のHow have you been?は「久しぶり」「どうしてる？」などの意味で使います。

❸ 友達のことを思うと

What's wrong?

どうしたの？

I'm sad about my friend.

友達のことで悲しいんだ。

◆ 質問のWhat's wrong?は「どうしたの？」「何か問題？」と聞く定番表現です。What's up?とも言います。

思いがけず知人に出会ったときには、What a nice surprise!（嬉しい驚きですね！）と言ってみては？

フレーズ16 I'm surprised ～

❹ ここで会うとは！

I'm surprised to see you here.

ここであなたに会うなんて驚きです。

What a nice surprise!

嬉しい驚きですね！

◆ 知人などに思いがけない場所で偶然出会ったときにはWhat a nice surprise!やThis is a nice surprise.などで嬉しい驚きを表せます。

❺ 仕事を辞めた

Did Mr. Green quit his job?

グリーンさんは仕事を辞めたのですか。

Yes. We were very surprised at the news.

はい。その知らせには私たちも本当に驚きました。

◆「その知らせに」にはat the newsまたはby the newsを使います。

❻ なんて優しいの

I gave my umbrella to a little boy.

私の傘は小さな男の子にあげました。

I'm always surprised at how kind you are.

あなたの優しさにはいつも驚かされます。

◆ how kind you areは、「あなたがどれだけ親切か」という感嘆文（フレーズ40）です。

フレーズ 17

怒る

アイム　アングリィ

I'm angry ～

～で怒っている

怒りの感情はI'm angryで表現します。怒りの対象はatやwithなどに続けます。madやupset、furiousも怒りを表す言葉です。

基本フレーズを使いこなそう！

Track 25

❶ **I'm a little angry.**
少し腹が立っています。

a littleで怒りを弱めている。

❷ **I'm extremely angry.**
もう怒り狂っている。

extremelyで怒りを強めている。

❸ **Why are you angry?**
なぜ怒っているの？

相手の怒りの原因をたずねるフレーズ。

❹ **I hope you aren't angry with me.**
あなたが私に腹を立てていないといいのですが。

〈with ～〉で怒りの対象を導く。

❺ **His attitude made me very angry.**
彼の態度にとても腹が立った。

attitude（態度）

1回目　2回目　3回目

● 話すためのヒント ●

「怒る」という意味の基本的な言葉はangryです。形容詞なので、be angry やget [feel] angryなどの形で使います。I'm a little angry.（少し腹が立つ）や、I'm extremely angry.（もう怒り狂っている）など副詞を付け加えることで怒りの度合いを調整できます。また、「少し怒っている」場合はbe in a bad mood（機嫌が悪い）やbe annoyed（うんざりしている）など、「ひどく怒っている」ならbe furiousやbe outragedなど、怒りの度合いに応じていろいろな表現があります。

I'm extremely angry.

これも覚えよう！

❻ Are you mad at me?
私に怒っていますか。
◆ madは「ひどく怒っている」のニュアンス。

❼ He's furious about the accident.
彼はその事故に怒っている。
◆ furiousも「激怒している」の意味合い。

❽ I was upset when I heard that.
それを聞いたとき、取り乱しました。
◆ upsetは「取り乱して、腹を立てて」。

音読チェック ▶

1回目 2回目 3回目

フレーズ
18

義務・必要

アイ マストゥ　アイ ハヴタ

I must ～ / I have to ～

～しなくてはならない

「～しなくてはならない」と言うときはI mustやI have toで始めて動詞を続けます。mustは自発的、have toは状況による場合に使います。

基本フレーズを使いこなそう！

Track 26

❶ **I must stop smoking.**
タバコをやめなくてはいけない。

自分の意志でタバコをやめたいと考えている。

❷ **I must tell him the truth.**
彼に本当のことを言わなくては。

自発的に本当のことを言うべきだと思っている。truth（真実）

❸ **You must stay with us.**
ぜひ家に泊まってくださいね。

相手を強く誘う表現として使われている。stay（泊まる、滞在する）

❹ **I have to admit he's right.**
彼が正しいと認めなくてはいけない。

外的要因から認めるという意味合い。admit（認める）

❺ **He had to quit his job.**
彼は仕事を辞めなければならなかった。

仕事を辞めざるをえない状況だった。

音読チェック▶

● 話すためのヒント ●

「～しなくてはならない」と言いたい場合、mustまたはhave toを動詞の前に置きます。mustは「自発的に～しなくてはと思っている」、have toは「規則・状況など外的要因で～しなければならない」の意味合いで使うことが多いです。例えば、I must work harder.は「もっとしっかり働かなくてはならない」と自発性の意味が入り、You have to come back by ten o'clock.なら「あなたは10時までには戻らなくてはいけない」のように外的要因の意味が入ります。場面に応じて使い分けましょう。

これも覚えよう！

❻ You ought to submit the report by tomorrow.
明日までには報告書を提出しなくてはならないよ。
◆ ought to ～（～しなくてはならない）、submit（提出する）

❼ You are required to wear a seat belt.
シートベルトを締めてください。
◆ be required to ～（～しなければならない、～することが必要だ）、wear（着用する）

❽ If you earn more, you'll have to pay more tax.
もっと稼いだら、もっと税金を払わなくてはならないよ。
◆ 税金を支払わなければならないのは状況によるのでhave toを使う。earn（稼ぐ）

音読チェック▶ 1回目 2回目 3回目

相手と話す練習をしてみよう！ やさしい実戦英会話

Track 27

フレーズ17 I'm angry ～

❶ 怒っている？

Are you angry with me?

私のことを怒っていますか。

Well, I'm rather sad.

いや、むしろ悲しいんです。

◆ rather（むしろ、いくぶん）

❷ 怒っていない？

I hope you aren't angry.

怒っていないといいんだけど。

I'm not angry at all. Why?

全然怒ってないよ。どうして？

◆ at allは否定文で使うと、「全然～ない」の意味になります。

❸ あなたに腹が立つ

You are making me angry.

あなたには腹が立つ。

Why? What did I do?

どうして？　私が何かした？

◆〈A make 人 angry〉で「Aが人を怒らせる」という表現です。

否定のdon't have toは「～しなくてもいい」、must notは「～してはいけない」の意味になります。

フレーズ18 I must ～ / I have to ～

❹ タバコをやめる

You must stop smoking, Michael.

マイケル、あなたはタバコをやめなくてはね。

I know, but it's difficult.

わかっているけど、難しいんだよ。

◆ 規則などの外的要因でなく、自分の気持ちから禁煙を勧めている感じが出ます。

❺ 辞める必要あった？

Mrs. White quit her job.

ホワイトさんは仕事を辞めました。

But she didn't have to, right?

でも辞めなくてもよかったんですよね？

◆ don't have to ～と否定にすると「～しなくてもいい」という意味になります。ちなみにmust notは「～してはいけない」という強い禁止です。

❻ 収入が2倍に

My income will be doubled next year.

来年には私の収入は2倍になりそうだ。

Then you'll have to pay more tax.

それなら、もっと税金を払わなくてはならなくなるよ。

◆ income（収入）、be doubled（2倍になる）

フレーズ 19

賛成・反対

I agree ～ / I disagree ～

(アイ アグリー / アイ ディサグリー)

～に賛成です／～に反対です

賛成・反対はI agree [disagree]で表現するのが基本です。何に賛成・反対するかはwithなどに続けます。

基本フレーズを使いこなそう！

Track 28

❶ **I totally agree with you.**
君に大賛成です。

totally（完全に、全く）

❷ **I partly agree with his opinion.**
彼の意見には部分的に賛成です。

partly（部分的に）

❸ **I couldn't agree more.**
大賛成です。

「これ以上賛成できない」→「大賛成です」という言い方。

❹ **Sorry, but I can't agree with that.**
悪いけれど、それには反対です。

Sorry, but ～（悪いけれど～）を付けると、表現がやわらぐ。

❺ **I'm afraid I disagree.**
悪いけれど、反対です。

I'm afraid ～（あいにく～、残念ながら～）

● 話すためのヒント ●

相手に「賛成である」ことを伝える代表的な表現はagreeを使うI agree with you.(あなたに賛成です)です。「反対である」は disagreeです。「反対である」と言う場合には、相手を気遣って、I can't agree with your opinion.(あなたの意見には賛成しかねます)や Sorry, but I disagree with you.(悪いけれど、反対です)のように、クッションの表現を入れてやわらかく話すようにしましょう。

I totally agree with you.

これも覚えよう!

❻ You're right.
そうですね。
◆ 直訳すれば「あなたは正しい」で、同意を表す。

❼ I'm with you.
同感です。
◆「あなたと一緒にいる」→「同感だ」。

❽ Yes, that's fine with me.
はい、それで結構です。
◆ that's fine(それで結構だ)

音読チェック▶ 

フレーズ 20

確信する

アイム　シュア
I'm sure ～

きっと～

何かを確信して思うときにはI'm sureで始めて、確信する内容を続けます。I'm not sureと否定文にすれば、確信がないことを表せます。

基本フレーズを使いこなそう！

Track 29

❶ **I'm sure you'll like it.**
きっと気に入るよ。

プレゼントをするときなどに使える。

❷ **I'm sure they have reasons.**
きっと彼らには理由があります。

reason（理由）

❸ **Sure you can make it.**
あなたなら必ずできます。

make it（やり遂げる）

❹ **Are you sure you don't mind?**
本当にかまいませんか。

Are you sure ～？で相手の真意を確かめる。

❺ **You don't sound very sure.**
あまり確信がなさそうですね。

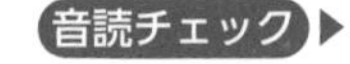

□ 1回目　□ 2回目　□ 3回目

話すためのヒント

sureは「確かな」「確信して」の意味の言葉で、I'm sureに文を続けて「きっと～」という表現をつくれます。例えば、I'm sure (that) you can do it.（君なら必ずできるよ）。返事では Sure.だけでも「はい」「もちろん」の意味になり、Sure you can.とすれば「君なら必ずできるよ」と相手を励ますことができます。確信がない場合はI'm not sure ～と否定にします。

I'm sure you'll like it.

これも覚えよう！

❻ Are you sure about that?
それは確かですか。
◆ Are you sure about this?なら「これで本当にいいのか」という確認になる。

❼ I like this one, but I'm not sure about that.
これは好きだけど、あれはなんとも…。
◆ thatの後ろにoneが省略されている。

❽ I feel sure of young people's potential.
私は若者の可能性を確信しています。
◆ be sureの代わりにfeel sureとしている。potential（可能性）

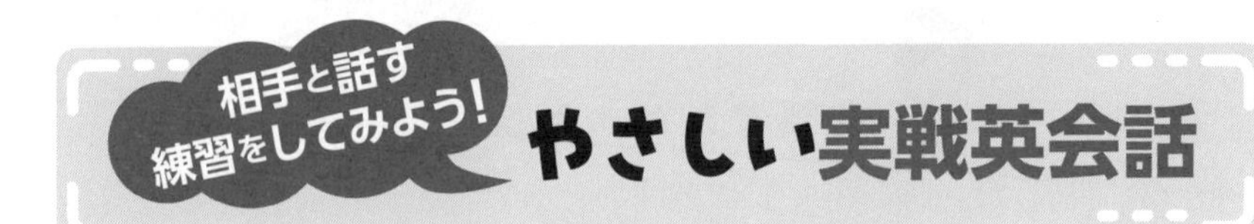

Track 30

フレーズ19 I agree ～ / I disagree ～

❶ 君に大賛成

I think this suits Olivia.

これがオリビアに似合うと思う。

Yes, I totally agree with you.

そうだね、大賛成だ。

◆ totally(まったく)を入れることで、100%賛成という意味合いが出ます。suit(似合う)。

❷ 部分的に賛成

What do you think of his plan?

彼のプランをどう思いますか。

Well, I partly agree with that.

そうですね、部分的にはそれに賛成です。

◆ partly（部分的に）を入れることで、一部に賛成している意味になります。

❸ 賛成できない

I'm afraid I can't agree with you.

あいにくあなたに賛成できないです。

Can you tell me why?

理由を聞かせてもらえますか。

◆ 反対する場合は、I'm afraidやI'm sorryなどを文頭に付けて、やわらかく聞こえるように工夫することも大切です。

Sure you can!は「君ならきっとできる！」という励ましの言葉として使えます。

フレーズ20 I'm sure ～

❹ できるとも

Do you think I can make it?

私にできると思いますか。

Sure you can!

きっとできるよ！

◆ 応答はI'm sure you can make it.を短くしたもので、とても力強い励ましの言葉です。

❺ 本当にいい？

Please go ahead with this plan.

このプランで進めてください。

Are you sure you don't mind?

本当にいいのですか。

◆ go ahead with ～（～を進める）

❻ 確信がなさそう

They will probably accept our proposal.

彼らはおそらくこちらの提案を受け入れるんじゃないかな。

You don't sound very sure.

あまり確信がなさそうですね。

◆ probably（おそらく）、accept（受け入れる）、proposal（提案）

基本動詞を英会話に生かす❷

get

基本のイメージ

何かを自分の方にどんどん「取り入れる」「手に入れる」「受け取る」のが基本のイメージです。買ったり、もらったりして、品物や考え、情報、あるいは援助などを自分のものにすることです。そこから「ある状態になる」「わかる」「人に何かをさせる」という意味の広がりが出てきます。

I got these earbuds from my mother.
このイヤホンをお母さんからもらった。
◆ earbud（小型イヤホン）

Get better soon.
早くよくなってね。

I don't get it.
わかりません。

Can you get me a taxi?
タクシーを呼んでもらえますか。

上手に質問できるフレーズ

会話では話し相手にいろいろなことを聞くものです。疑問文の基本パターンを使って、どんな質問もできるようにしておきましょう。質問にどう答えるかも、「やさしい実戦英会話」で練習しましょう。

Track 31 〜 45

フレーズ 21

Yes/No疑問文

Do you ～?
ドゥ ユー

～ですか

Do you ～?などYes/Noで答えられるのがYes/No疑問文です。基本的なパターンを練習して、さっと言えるようにしましょう。

基本フレーズを使いこなそう！

Track 31

❶ **Do you want to take a break?**
休憩したいですか。

主語がyouなのでDoで始める。

❷ **Does this train go to Shinjuku?**
この電車は新宿へ行きますか。

主語がthis trainなのでDoesで始める。

❸ **Are you free this afternoon?**
今日の午後は空いていますか。

free（時間が空いている）

❹ **Are you coming this afternoon?**
今日の午後、来るのですか。

現在進行形で主語がyouなのでAreで始める。

❺ **Is the gym open 24 hours?**
このジムは24時間営業ですか。

24 hours（24時間営業して）

音読チェック

● 話すためのヒント ●

Yes/No疑問文とは、YesまたはNoで答えられる疑問文のことです。例えばDo you like coffee?(コーヒーが好きですか)や、Is he a student?(彼は生徒ですか)などの質問に対しては、YesかNoで返事をします。文頭がdoやdoesなのか、be動詞なのか、過去形のdidなのか、この点に注意しながら疑問文を言えるようにしましょう。

Does this train go to Shinjuku?

これも覚えよう！

❻ Did you enjoy the concert?
コンサートは楽しかったですか。
◆ 過去形はdidを文頭に出す。

❼ Were there any oranges left?
オレンジは残っていましたか。
◆ be動詞の過去形を文頭に。

❽ Have you tried this?
これを食べたことある？
◆ 現在完了の疑問文で、経験をたずねている。

音読チェック ▶ □ 1回目 □ 2回目 □ 3回目

フレーズ 22

付加疑問文

～, don’t you?
ドゥンチュー

～ですね

語尾にdon’t you?などの疑問形を付け加えれば、確認や念押しができます。この形を付加疑問文と言います。

基本フレーズを使いこなそう！

Track 32

❶ **You like reading, don’t you?**
読書が好きですよね。

Youが主語で肯定文なので、don’t you?を続ける。

❷ **It’s cold and windy, isn’t it?**
寒くて、風が強いですね。

Itが主語で肯定文なので、isn’t it?を続ける。

❸ **Meg will lead the meeting, won’t she?**
メグが会議の進行をするんですよね。

willの場合はwon’tになる。

❹ **You joined the seminar, didn’t you?**
セミナーには参加しましたよね。

過去形の肯定文なので、didn’t youを続ける。

❺ **You’re not serious, are you?**
本気じゃないですよね。

否定文なので、are you?を続ける。serious（真面目な、深刻な）

音読チェック ▶ ☐ 1回目 ☐ 2回目 ☐ 3回目

話すためのヒント

付加疑問文は肯定文と否定文の2通りがあります。

（肯定文）You like coffee, don't you?（コーヒーは好きですよね）

（否定文）You don't like coffee, do you?（コーヒーは好きじゃないですよね）

肯定文には助動詞の否定形、否定文には助動詞の肯定形を続けて、「～ですね」と軽く付け加える感じになります。ちょっとした確認や声かけ、挨拶などにも使えます。例えば、It's beautiful today, isn't it?（今日はいいお天気ですね）などは、通りかかった人などと言葉を交わすときに便利です。

It's cold and windy, isn't it?

これも覚えよう！

❻ You've met Steven, haven't you?
スティーヴンにはもう会いましたよね。
◆ 現在完了の肯定文なので、haven't you?を続ける。

❼ Let's get started, shall we?
始めましょうか。
◆ Let'sの文には、shall we?を続ける。

❽ Getting dark, isn't it?
暗くなってきましたね。
◆ Getting darkの前にIt isが省略されている。

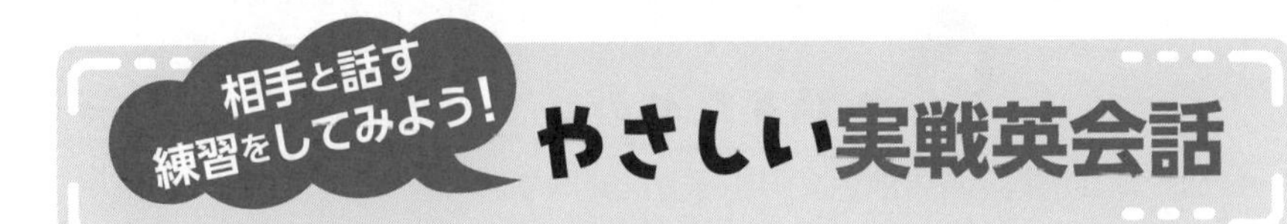

Track 33

フレーズ21 Do you ～?

❶ 休憩したい?

Do you want to take a break?

休憩したいですか。

Yes! I'd like some coffee.

ええ！　コーヒーを飲みたいですね。

◆ take a break（休憩を取る）

❷ 映画は楽しかった?

Did you enjoy the movie?

映画は楽しかった？

Yes, we did.

うん、楽しかったよ。

◆ Did you ～のyouが「あなたたち」と複数の場合、答えにはweを使います。

❸ ジムの営業時間

Is the gym open 24 hours?

このジムは24時間営業していますか。

No. They open at 6 o'clock and close at 12.

いいえ。6時に開き、12時に閉まります。

◆ 応答は、単純にNo, it's not.でもOK。このTheyはジムのことです。なお、時間は英語では24時間制で言うことは少ないです。

付加疑問文は、文の主語や動詞に合わせて、付加のdon't you? やaren't you?がすぐに出てくるように練習しましょう。

フレーズ22 ～, don't you?

❹ 会議を進行する

You are leading the meeting, aren't you?

あなたが会議の進行をされるのですよね。

Yes. I'll do my best.

はい。頑張ります。

◆ 質問は確実な予定を～ing形で表現しています。

❺ 本気ですか

I wonder if I should change jobs.

転職をすべきじゃないかなあ。

You are not serious, are you?

本気じゃないですよね。

◆「冗談でしょう？」の意味合いでは、kiddingを使って、You are kidding, aren't you?やAre you kidding?とも言えます。

❻ もう会いましたか

You've met Steven, haven't you?

スティーヴンにはもう会いましたよね。

Yes, I've met him before.

はい、前に会っています。

◆「会っていない」のであれば、No, I haven't.やNo, I haven't met him yet.（まだ会っていない）などと答えます。

フレーズ 23

否定疑問文

ドゥンチュー

Don't you ～?

～ないですか

Don't youなどで始める否定疑問文は、確認したり同意を求めたりする場面で使います。応答はDo you ～?と同じです。

基本フレーズを使いこなそう！

Track 34

❶ **Don't you want some more?**
もう少しいかがですか。

食べ物・飲み物を勧めるときに。

❷ **Don't you want to see it yourself?**
それを自分で見たくないのですか。

yourself（自分自身で）

❸ **Don't you prefer Italian dishes?**
イタリア料理の方が好きじゃないのですか。

prefer（より好む）、dish（料理）

❹ **Isn't the shop closed now?**
その店は今閉まっているのではないですか。

❺ **Aren't you happy to see him?**
彼に会えるのが嬉しくないのですか。

音読チェック ▶ □ 1回目 □ 2回目 □ 3回目

● 話すためのヒント ●

Do you like coffee?と聞かれると、好きな場合は迷わずYes, I do.と答えられますが、Don't you like coffee?と聞かれると、答え方に迷ってしまう人が多いようです。このように否定形を文頭に持ってくる疑問文を「否定疑問文」といいます。答え方については、Do you ～?もDon't you ～?も聞いていることは同じなので、コーヒーが好きならYes, I do.、嫌いならNo, I don't.と答えればいいのです。

Don't you want to see it yourself?

これも覚えよう！

❻ **Didn't she say August 12th?**
彼女は8月12日だと言いませんでしたか。
◆ 日時を確認している。

❼ **Weren't you nervous?**
緊張しなかったですか。
◆ nervous（緊張して、心配して）

❽ **Haven't they arrived yet?**
彼らはまだ着いていないのですか。
◆ arrive（着く）

選択疑問文

A or B?（オァ）

AかBか、どちらですか

orで2つのものをつないで、相手に選択を求める疑問文です。2つの名詞をorでつなぐだけのシンプルな形も会話ではよく使われます。

基本フレーズを使いこなそう！

Track 35

❶ **Coffee or tea?**
コーヒーか紅茶、どちらにしますか。

2つものをorでつなぐだけでできる。

❷ **For here or to go?**
店内で召し上がりますか、それともお持ち帰りですか。

ファストフード店での決まり文句。

❸ **By air or rail?**
飛行機か列車のどちらですか。

railの前にbyが省略されている。

❹ **Do you want to stay home or go out?**
家にいたいですか、それとも出かけたいですか。

❺ **Which do you want, iced or hot coffee?**
アイスコーヒーかホットコーヒー、どちらが飲みたいですか。

音読チェック▶ □1回目 □2回目 □3回目

● 話すためのヒント ●

Coffee or tea?（コーヒーか紅茶、どちらにしますか）のように〈A or B?〉の形で選択を促す質問を選択疑問文と呼びます。答える場合はCoffee, please.（コーヒーをお願いします）のように、AかBのどちらかを答えます。話す場合は、Aで語尾を上げ、Bで語尾を下げます。上の例では、Coffeeで語尾を上げ、teaで語尾を下げましょう。

これも覚えよう！

❻ Would you like to see it now or later?
それを今見たいですか、後にしますか。
◆ later（後で）

❼ Are you available this afternoon or tomorrow?
今日の午後か明日か、どちらが空いていますか。
◆ available（都合がつく、利用できる）

❽ Which would you like, a window or aisle seat?
窓側の席か通路側の席か、どちらがよろしいですか。
◆ aisle seat（通路側の席）

やさしい実戦英会話

Track 36

フレーズ23 Don't you ～?

❶ もう少しいかが？

Don't you want some more?

もう少しいかがですか。

Yes, please.

はい、お願いします。

◆ 質問はお茶や食事のときなどに使える便利な表現です。いらない場合はNo, thank you.やI'm fine, thank you.（結構です）などと答えます。

❷ 直接見たくない？

Don't you want to see it in person?

それを直接見たくないのですか。

Yes, I do.

ええ、見たいです。

◆ 応答は、見たいのでYes, I do.と言っています。見たくなければNo, I don't.になります。in person（じかに、直接）

❸ まだ着いていない？

Hasn't Brian arrived yet?

ブライアンはまだ着いていないのですか。

Yes, he's already here.

もう着いて、ここにいますよ。

◆ Yesを「はい」、Noを「いいえ」といちいち訳さないことも、否定疑問文に慣れる一助になります。この質問の場合、Yesなら「着いている」、Noなら「着いていない」と考えましょう。

選択疑問文はファストフード店や空港のチェックインカウンターでよく使われますよ。

フレーズ24 A or B?

❹ 店内か持ち帰りか

Two burgers, please.

ハンバーガーを2つお願いします。

Sure. For here or to go?

かしこまりました。店内で召し上がりますか、お持ち帰りですか。

◆ 応答は、「ここで食べるのかテイクアウトするのか」を質問する定番フレーズです。

❺ 窓側か通路側か

Do you want a window or aisle seat?

窓側の席か通路側の席か、どちらがよろしいですか。

I'd like an aisle seat, please.

通路側をお願いします。

◆ 応答はAn aisle seat, please.だけでもOK。また自分から希望を伝える場合はCan I have an aisle seat, please?とします。

❻ 今か後か

Would you like to see the movie now or later?

その映画を今見たいですか、後にしますか。

I'd love to see it now.

今見たいです。

◆ now or laterで「今か後か」を聞いています。応答にあるI'd love to ～は「ぜひ～したい」という気持ちを表現します。

フレーズ
25

時を聞く

ウェン

When ～?

いつ～ですか

時を聞くにはWhenで始まる疑問文を使います。さまざまな場面で使えるように練習しておきましょう。

基本フレーズを使いこなそう！

Track 37

❶ **When's your birthday?**
お誕生日はいつですか。

〈When + 動詞 + 主語〉の形。

❷ **When can I see you again?**
いつまた会えますか。

〈When + 助動詞 + 主語 + 動詞〉

❸ **When's the deadline?**
いつが締め切りですか。

deadline（締め切り）

❹ **When will you come to the office?**
いつオフィスに来ますか。

❺ **When did you first meet Karen?**
カレンに初めて会ったのはいつですか。

● 話すためのヒント ●

「いつ?」という「時」を質問する場合はWhenを使います。例えば、「お誕生日はいつですか」と聞きたい場合は、When's your birthday?となり、〈When + 動詞 + 主語〉の形になります。When can you start working?（いつ仕事を始められますか）なら、〈When + 助動詞 + 主語 + 動詞〉の並びです。What time ～?が「何時?」と特定した時を聞くのに対して、Whenは「いつ?」なので時間に幅があります。

When's your birthday?

これも覚えよう！

❻ Until when do I have to wait?

いつまで待たなくてはいけないのですか。

◆ 話の流れでは、Until when?だけでも、「いつまで？」と聞ける。

❼ By when do we have to finish it?

いつまでに、それを終えなくてはいけませんか。

◆ 話の流れでは、By when?だけでも、「いつまでに？」と聞ける。

❽ What time shall we meet?

何時に会いましょうか。

◆ What timeで正確な時間を聞ける。

フレーズ 26

場所を聞く

Where ～?（ウェア）

どこに～ですか

場所を聞くときにはWhereで始める疑問文を使います。日常生活でも旅行でも使う機会が多い疑問文です。

基本フレーズを使いこなそう！

Track 38

❶ **Where is the bathroom?**
トイレはどこですか。

bathroom（トイレ）

❷ **Where are you going?**
どこに行くの？

Whereは「どこに」なので、going toとはしない。

❸ **Where have you been?**
どこに行っていたのですか。

現在完了で、助動詞はhave。

❹ **Where did you put the files?**
ファイルをどこに置きましたか。

❺ **Where should I wait for you?**
どこでお待ちしましょうか。

wait for ～（～を待つ）

1回目 2回目 3回目

話すためのヒント

「どこに?」という場所を質問する場合は、Whereを使います。例えば、「彼はどこにいますか」と聞きたい場合は、Where is he?と〈Where + 動詞 + 主語〉の形となります。「どこで会いましょうか」なら、Where shall we meet?と、〈Where + 助動詞 + 主語 + 動詞〉の形です。約束などをする場合に「いつ、どこで?」とシンプルに聞きたい場合は、When and where?と疑問詞を並べるだけでもOKです。

Where is the bathroom?

これも覚えよう!

❻ Where did I go wrong?
どこで間違えたのだろう?
◆ このwhereはat what point（どの地点・時点で）の意味。

❼ Where and what time?
どこで、何時に?
◆ 場所と時間を同時に聞いている。

❽ Where to?
どちらへ
◆ 行き先をたずねる表現。

相手と話す練習をしてみよう!

やさしい実戦英会話

Track 39

フレーズ25 When ～?

❶ 次はいつ会える?

When can I see you next time?

次はいつ会えますか。

I'll come back for Christmas.

クリスマスに帰ってきますよ。

◆「いつ?」という質問に対して、「クリスマスに」が返答になっています。in December(12月に)などの返答も可能です。

❷ 締め切りはいつ?

When's the deadline?

いつが締め切りですか。

The end of this month.

今月末です。

◆ 応答はIt'sを省略した形で、締切日だけを答えています。The last day of this month.とも言えます。

❸ 初めて会ったのは?

When did you first meet Karen?

あなたがカレンに初めて会ったのはいつですか。

When I was a high school student.

私が高校生のときでした。

◆ 応答はI first met Karen when I was ～としてもOK。高校生だったときが20年前なら20 years ago.も応答になります。

Whenで聞かれたら時間や時期を、Whereで聞かれたら場所を答えます。応答もしっかり練習しましょう。

フレーズ26 Where 〜?

❹ どこに行くの？

Where are you going?

どこに行くの？

To Hiro's house.

ヒロの家に行きます。

◆ 応答はI'm going to Hiro's house.を短くしたものです。

❺ どこに行っていた？

Where have you been?

どこに行っていたの？

I've been to the library.

図書館だよ。

◆ 応答は短くTo the library.とも言えます。

❻ どこに置いた？

Where did you put the files?

ファイルをどこに置きましたか。

On your desk.

あなたの机の上です。

◆ フルで答える場合は、I put them on your desk.となります。

フレーズ 27

「だれ」を聞く

Who ～?

フゥー

だれ～ですか

人が「だれか」を聞くときにはWhoで始める疑問文を使います。Whoは主語・目的語・補語で使えます。

基本フレーズを使いこなそう！

Track 40

❶ **Who is the woman?**
あの女性はだれですか。

Whoは補語。

❷ **Who told you that?**
だれがそれをあなたに話したのですか。

Whoは主語。

❸ **Who's meeting Mario at the airport?**
だれがマリオを空港で迎えますか。

Whoは主語。meet（出迎える）

❹ **Who should we invite?**
私たちはだれを招待すべきでしょうか。

Whoは目的語。invite（招待する）

❺ **Who's the winner?**
勝ったのはだれですか。

Whoは補語。winner（勝者）

● 話すためのヒント ●

Whoは次の3パターンの質問と応答があります。

Who did this?（だれがこれをしたの?）

→ Whoが主語になります。I did.やMike did.のように応答します。

Who are you meeting?（あなたはだれに会うのですか）

→ Whoが目的語になります。応答は(I'm meeting) Hana.などです。

Who is the man?（あの男性はだれですか）

→ Whoが補語になります。応答は(He is) Taro.などです。

Who is the woman?

これも覚えよう！

❻ Who's speaking?

どちら様ですか。

◆電話などで相手の名前を聞く場合に使える。

❼ Who cares?

だれが気にするというの？

◆「だれも気にしない、かまうものか」といった意味合い。

❽ Who knows?

だれにもわからない。

◆「だれが知っているのか→だれも知らない」という意味。Who doesn't know? なら「だれが知らないのか→みんな知っている」。

音読チェック

1回目
2回目
3回目

フレーズ 28

「何」を聞く

ワァットゥ
What ~?

何~ですか

モノ・コトが「何か」を聞くにはWhatで始める疑問文を使います。日常でよく使う口語表現もあるので覚えておくと役立ちます。

基本フレーズを使いこなそう！

Track 41

❶ **What do you do?**
お仕事は何ですか。

相手の仕事を聞く定番の質問。

❷ **What did you wish?**
何をお願いしましたか。

wish（願う）

❸ **What's the time?**
何時ですか。

時刻を聞く基本表現。

❹ **What kind of games do you like?**
どんな種類のゲームが好きですか。

〈What + 名詞〉の形。kind（種類）

❺ **What's the weather like there?**
そちらの天気はどんな感じですか。

weather（天気）

● 話すためのヒント ●

「何?」と聞きたい場合はWhatを使います。What's that?(それは何ですか)やWhat do you do?（お仕事は何ですか）などが基本の文です。whatに名詞を続けて、What color do you like?（何色が好きですか）と聞くこともできます。また、whatには、What makes you happy?（何があなたを幸せにするか→何をすればハッピー?）やWhat's eating you?（何があなたを食べているか→どうしたの?）のようなネイティブスピーカーらしい表現もあります。

What do you do?

これも覚えよう！

❻ What made you so mad?

なぜあんなに怒っていたの？

◆直訳すれば、「何があなたをそんなに怒らせたのか」。

❼ What is this gadget for?

このガジェットは何のためのものですか。

◆〈What ～ for?〉で目的や理由を質問できる。gadget（小型の機器）

❽ What about you?

あなたはどうですか。

◆「元気ですか」と聞かれて、「あなたは？」と返すときに。

相手と話す練習をしてみよう！
やさしい実戦英会話

Track 42

フレーズ27 Who ～?

❶ だれが言ったの？

Who told you such a thing?

だれがそんなことを言ったのですか。

Alison did.

アリソンです。

◆ Who told ～?という質問に対して、Alison told（アリソンが言った）をAlison didで受けています。

❷ だれを招待する？

Who are you inviting?

だれを招待するのですか。

Sarah, Julie, and James.

サラ、ジュリー、それにジェイムズです。

◆ Who are you inviting?に対して、I'm invitingを省略して、人名だけを答えています。

❸ 新しいメンバー

Who are they?

あの人たちはだれですか。

They are new members.

新しいメンバーです。

◆ もちろん、New members.とだけ答えても大丈夫です。

What do you do?（お仕事は何ですか）は職業をたずねる定番表現です。初対面の相手と話すときに重宝します。

フレーズ28 What ～?

❹ お仕事は？

What do you do?

お仕事は何ですか。

I'm an IT engineer.

IT技術者です。

◆ 質問はWhat do you do for a living?と同意。

❺ どんな映画が好き？

What kind of movies do you like?

どんな種類の映画が好きですか。

I love horror movies.

ホラー映画が好きなんです。

◆ What kind(s) of ～?（どんな種類の～）という質問です。What type(s) of ～も同意。

❻ お母さんの人柄

What's your mother like?

あなたのお母さんはどんな人ですか。

She's very understanding.

とても理解のある人です。

◆ What is/are ～ like?で「～はどんな様子か」（人柄や状態など）を質問できます。

フレーズ 29

理由・目的を聞く

Why ～?（ワイ）

なぜ～なのですか

理由や目的を聞くにはWhyで始める疑問文を使います。応答はBecauseで理由を述べたり、forなどで目的を答えたりします。

基本フレーズを使いこなそう！

Track 43

❶ **Why is that?**
それは、なぜ？

thatは2人の間でわかっていることを指す。

❷ **Why me?**
なぜ私が？

自分が指名されたときなどに疑問を呈して。

❸ **Why are you so sad?**
なぜそんなに悲しいの？

❹ **Why did he give it up?**
彼はなぜそれをあきらめたのですか。

give up（あきらめる）

❺ **Why was the meeting postponed?**
なぜ会議は延期されたのですか。

postpone（延期する）

音読チェック ▶ ☐ 1回目 ☐ 2回目 ☐ 3回目

● 話すためのヒント ●

「なぜ?」という理由を聞く場合にはWhyを使います。例えば、Why did you think so?（なぜそう考えたのですか）と聞かれたら、Because I thought it was better for us.（それが私たちにとってベターだと思ったからです）のようにBecauseなどを使って理由を返答します。場面によってはWhy did you bring food?（なぜ食べ物を持ってきたのか）と聞かれて、For the kids.（子供たちのために）のように、目的を答えるケースもあります。

これも覚えよう！

❻ Why do I have to do this?
なぜ私がこれをしなくてはならないの？
◆ ぼやきたい気分で。

❼ Why weren't there enough chairs?
なぜ十分な椅子がなかったのですか。
◆ enough（十分な）

❽ I don't know why.
理由はわかりません。
◆ Don't ask me why.（理由は聞かないで）も似た表現。

フレーズ 30

様態・手段を聞く

How ～?

（ハウ）

どのように～ですか

様態や手段を聞くにはHowで始まる疑問文を使います。How muchやHow farなど、Howに形容詞や副詞をつなぐ用法もあります。

基本フレーズを使いこなそう！

Track 44

❶ **How's it going?**
調子はどう？

定番の挨拶フレーズ。

❷ **How does it work?**
それはどのように動くのですか。

Howで動く（機能する）様態を聞く。

❸ **How did you know?**
どうしてわかったの？

Howでわかったプロセスを聞く。

❹ **How long does it take?**
どれくらいかかりますか。

〈How long ～〉は時間・期間をたずねる。

❺ **How many students are there?**
何人学生がいますか。

〈How many ～〉で数をたずねる。

音読チェック ▶

● 話すためのヒント ●

様態や手段などを「どのように?」と質問する場合には、Howを使います。例えば、How did you come here?なら「どのようにここに来ましたか」と交通手段を聞いているので、By car.（車で）やOn foot.（歩いて）のように応答します。また形容詞や副詞を後ろに続けてHow much?（いくら?）などの形で多様な質問を作ることができます。

How's it going?

これも覚えよう！

❻ How did you like it?
それはどうでしたか。
◆ 感想や印象をたずねている。

❼ How far is it from here?
ここからどれくらいの距離ですか。
◆「ここから駅まで」と到着点を言う場合は、from here to the stationとする。

❽ How come you are laughing?
なぜ笑っているの？
◆ How come?はWhy?と同じ意味。laugh（笑う）

音読チェック ▶  1回目 2回目 3回目

相手と話す練習をしてみよう！ やさしい実戦英会話

Track 45

フレーズ29 Why ～?

❶ なぜ売ったの？

I sold my stock shares.

持ち株を売ったよ。

Why is that?

どうして？

◆ stock shares（持ち株）。shares of stockやsharesとも言います。

❷ どうして私が？

Please make 50 copies of this file.

このファイルを50部コピーしてください。

Why me? It's your job, isn't it?

どうして私が？　これはあなたの仕事ですよね。

◆ Why me?はこの場合、Why do I have to do that?のことです。

❸ なぜあきらめたの？

I should've kept trying.

挑戦し続けるべきだったなあ。

Why did you give up?

なぜあきらめたのですか。

◆ keep doing（～し続ける）

How long does it take?は「時間がどれくらいかかるか」を聞くときの定番表現です。

フレーズ30 How ～?

❹ 機械の機能は？

How does the machine work?

その機械はどのように動くのですか。

Let me show you.

お見せしましょう。

◆ 実演してほしい場合は、Could you demonstrate how the machine works?とお願いできます。

❺ プレゼントをもらって

This is for you, Thomas.

トーマス、これは君へのプレゼントだよ。

A tablet! How did you know?

タブレットだ！　どうしてわかったの？

◆ How did you know?は、プレゼントなどほしいものをもらったときの定番表現です。tablet（タブレット型コンピュータ）

❻ 在庫がない

We'll put it on back-order.

それをお取り寄せします。

How long will it take?

どれくらいかかりますか。

◆ put A on back-order（Aを取り寄せる）

基本動詞を英会話に生かす❸

give

基本のイメージ

　自分から人に対して、何かをどんどん「与える」のが基本のイメージです。「(手) 渡す」「贈る」「言う」など幅広い意味で使えます。与えるものは、有形の品物やお金などから、無形の「愛情」「憎しみ」「苦痛」「チャンス」「時間」「権利」「結論」などさまざまなものが可能です。

He often gives nice presents to his friends.
彼はよく友達に素敵なプレゼントを贈る。

Please give me one more chance.
もう一度チャンスをください。

Let's give them more time.
彼らにもっと時間をあげましょう（長い目で見てあげよう)。

Give it to me straight.
はっきり言ってください。
◆straight（はっきり、率直に）

生き生きと話すフレーズ

会話をさらに充実したものにするフレーズを練習します。ちょっとした表現の選択で、いろいろなことが話せるようになります。しっかり練習して、生き生きとした会話をめざしましょう。

Track 46 ～ 60

フレーズ 31

使役のlet

レットゥ　ミー

Let me ～

私が～しましょう

letは「～させる」の意味で、Let me ～で「私が～しましょう」と申し出る表現になります。

基本フレーズを使いこなそう！

Track 46

❶ **Let me see.**
そうですねえ。

「私に見させて」→「そうですね」。

❷ **Let me explain.**
説明させてください。

explain（説明する）

❸ **Let me try it.**
試させてください。

味見をするときなどに使える。

❹ **Let me put it this way.**
このように言い換えてみましょう。

put it this way（このように言い換える）

❺ **Let me show you around.**
この辺りをご案内します。

show around（案内する）

音読チェック▶ 
1回目 2回目 3回目

● 話すためのヒント ●

letは相手が望むことを「させる」という意味があります。Let me ～とすると、「私がしましょう」「私にさせてください」「私に任せてください」という意味合いを表現できます。またlet it goは、「それを行かせる、ほおっておく」、let it beも「そのままにしておく」などと訳せるように、letには「自然な流れに任せる、なるようになる」といったニュアンスがあります。

これも覚えよう！

❻ Let us stay here, please.
私たちをここにいさせてください。
◆ meをusに変えると、「私たちに～させてください」の意味で使える。

❼ I had my hair cut.
私は髪を切ってもらった。
◆〈have + モノ + 動詞の過去分詞〉で「モノを～してもらう」の意味。

❽ I made him work overtime.
私は彼に残業をさせた。
◆ makeは強制的に「～させる」の意味で使える。work overtime（残業する）

□ 1回目 □ 2回目 □ 3回目

フレーズ 32

お祝いをする

カングラチュレイションズ　アン

Congratulations on ～

～おめでとう

お祝いはCongratulationsを使うのが基本です。お祝いの内容はonに続けます。他に応用的な言い方も紹介します。

基本フレーズを使いこなそう！

Track 47

❶ **Congratulations on your wedding.**
ご結婚おめでとう。

wedding(結婚(式))。marriage（結婚）も使える。

❷ **Congratulations on Mike's graduation.**
マイクのご卒業おめでとう。

graduation（卒業）

❸ **Congratulations on your promotion.**
ご昇進おめでとうございます。

promotion（昇進）

❹ **Congratulations on your success.**
ご成功おめでとう。

仕事で成功した人に。

❺ **Congratulations on winning the game.**
試合に勝利しておめでとう。

win the game（試合に勝つ）。onに続けるにはing形にする。

音読チェック▶ 

● 話すためのヒント ●

「お祝い」の基本はCongratulations!です。必ず最後にsを付けます。また短く Congrats!とも。これだけでも十分使えますが、onを付けて何に対するお祝いなのかを示せます。your graduation（卒業）、your wedding（結婚）など名詞はそのまま、動詞を続ける場合は getting a jobなどと～ing形にします。記念日（anniversary）や誕生日（birthday）などはHappy anniversary!（記念日おめでとう）のようにHappy ～で表現できます。

Congratulations on your wedding!

これも覚えよう！

❻ Happy anniversary!

記念日おめでとう！

◆ anniversary（記念日）。結婚記念日、創立記念日など。

❼ Good job!

すばらしい！

◆ 相手をたたえる。

❽ I'm proud of you.

君はすごいね。

◆ be proud of ～（～を誇りに思う）

相手と話す練習をしてみよう! やさしい実戦英会話

Track 48

フレーズ31 Let me ～

❶ 味見をさせて

I baked some bread.

パンを焼いたよ。

It looks great. Let me try it.

美味しそう。少し食べさせて。

◆ Let me try it.は、何かを「試させて」という場合や、この会話のように「少し食べさせて（飲ませて）」と言いたい場合に使えます。

❷ 言い換えてみる

Sorry, but I still don't get it.

ごめんなさい。まだわかりません。

Well, then let me put it this way.

では、このように言い換えてみましょう。

◆ put itは直訳すれば、「それを置く」という意味で、「言う、話す」の意味合いでも使います。

❸ ご案内します

How can I get to the station?

駅にはどのように行きますか。

Let me show you the way.

ご案内します。

◆〈show 人 the way〉で「人に道を示す」、つまり「道案内をする」という意味になります。

Congratulations ～.への応答はThank you.（ありがとう）が基本ですが、How nice of you!（ご親切にありがとう！）なども使うことができます。

フレーズ32 Congratulations on ～

❹ 結婚おめでとう

Congratulations on your wedding.

ご結婚おめでとう。

Thank you.

ありがとう。

◆ 最初の話者は、I'm so happy for you.などを付け足せます。直訳すれば「あなたのために嬉しい」で、「おめでとう」を表現できます

❺ 10周年記念おめでとう

Congratulations on your 10th anniversary.

10周年記念おめでとう。

Thank you so much.

ありがとうございます。

◆ Happy 10th anniversary.とも言えます。

❻ 就職おめでとう

Congratulations on your new job.

就職おめでとう。

Thanks a lot.

どうもありがとう。

◆ 応答には、How nice of you!（ご親切にありがとう！）も使えます。これは相手を親切だとほめつつ、お礼にもなる便利な表現です。

フレーズ 33

命令文

Do 〜 / Be 〜
（ドゥ／ビー）

〜しなさい、〜してください

DoやBeなど動詞から始めるのが命令文です。場面や使い方によって、「〜しなさい」と命令口調にも、「〜してください」と丁寧にもなります。

基本フレーズを使いこなそう！

Track 49

❶ **Do your homework.**
宿題をしなさい。

homework（宿題、準備）は自主的な勉強や下調べにも使える。

❷ **Eat well and sleep well.**
よく食べて、よく寝なさい。

andで2つの命令文をつないでいる。

❸ **Come early tomorrow, please.**
明日は早く来てください。

early（早く）

❹ **Please come this way.**
こちらへどうぞ。

this way（こちらへ）

❺ **Be nice to Miki.**
ミキにやさしくしなさい。

nice（やさしい）

音読チェック ▶

● 話すためのヒント ●

動詞の原形を文頭に持ってくることで、命令文を作ることができます。pleaseを付けると丁寧にはなりますが、例えばCome this way, please.(こちらへどうぞ)が命令文であることに変わりはありません。目上の人などには、Will you come this way, please?など、違う言い方をする方が無難な場合もあるので注意しましょう。また「～でありなさい」という命令は、Be quiet.（静かにしなさい）のように、be動詞を文頭に出します。

Please come this way.

これも覚えよう！

❻ Keep in touch.
連絡を取り合おうね。
◆ 別れるときなどに便利なフレーズ。

❼ Watch your head.
頭上に気をつけて。
◆「頭をぶつけないように注意して」というフレーズ。

❽ Mind the gap.
（ホームと車両の）隙間にご注意ください。
◆ ロンドンの地下鉄で聞かれるアナウンス。gap（隙間）

音読チェック

1回目 2回目 3回目

フレーズ 34

禁止を表す

Don't ～ / Not ～

（ドゥントゥ / ノットゥ）

～しないで

Don'tで始めるのが「～しないで」を表す禁止の文です。NotやNeverなど否定の言葉で始めることもできます。

基本フレーズを使いこなそう！

Track 50

❶ **Don't be late.**
遅れないでね。

約束をするときのひと言。

---

❷ **Don't be a stranger.**
また来てね。

「stranger（見知らぬ人）にならないで」→「ちょくちょく来てね」

---

❸ **Don't even think about it.**
そんなこと、考えないで。

「絶対ダメ」の意味。

---

❹ **Don't ask me why.**
理由は聞かないで。

理由や経緯などを話したくないときに。

---

❺ **Not so fast!**
早まるな。

Notで始める禁止の表現。

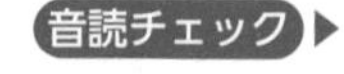

● 話すためのヒント ●

Don'tを文頭に持ってくることで、「～しないで」という禁止の表現を作ることができます。Don't do that.（それをしないで）のように〈Don't + 動詞の原形〉という形です。もちろん、mustを使って、You mustn't do that.（それをしてはいけない）と言っても禁止の命令になります。また、NeverやNotで始めても禁止の表現をつくれます。

Don't be late.

これも覚えよう！

❻ Please don't do that.

そんなことをしないでください。

◆ Don't do that.だけよりは丁寧だが、Pleaseを付けても命令文であることに変わりはない。

❼ Don't be shy.

遠慮しないで。

◆ だれも発言しない場面などに使える。shy（恥ずかしがりの）

❽ Never say never.

決してなんて言わないで。

◆ neverは「決して～ない」。つまり可能性はまだあるといった意味合い。

相手と話す練習をしてみよう！ やさしい実戦英会話

Track 51

フレーズ33 Do ～ / Be ～

❶ 宿題をしなさい

Can I play this video game more?

このテレビゲームをもっとしてもいい？

Do your homework first.

まずは宿題をしなさい。

◆ 応答は動詞を文頭に使う基本的な命令文です。

❷ こちらへどうぞ

Where is Conference Room 3?

第3会議室はどこですか。

I'll show you. Please follow me.

ご案内します。こちらへどうぞ。

◆ follow meは文字通り「私についてきてください」という意味で、come this wayと同様の意味で使うことができます。

❸ 友達にやさしく

I'm in the same class as Andy.

アンディと同じクラスだよ。

That's good. Be nice to him and other classmates.

よかったね。アンディにも他のクラスメートにもやさしくね。

◆ Be nice to ～は、Be kind to ～としても同意です。

Not so fast.（ちょっと待ってください）は相手の早まった行動を制止する場面で使えます。

フレーズ34 Don't ～ / Not ～

❹ 遅れないで

Do we have to be here at seven?

7時にここですか。

Yes. Don't be late.

そうです。遅れないでください。

◆ 応答はYou mustn't be late.（遅れてはいけない）でも同意。

❺ 離婚を考えている

I want a divorce.

離婚したいの。

Don't even think about it.

そんなこと考えないで。

◆ 文字通り「それについて考えることさえするな」という命令文です。

❻ ちょっと待って

OK! I'll sign the contract.

了解！　契約書にサインします。

Not so fast.

ちょっと待ってください。

◆ 文字通り、「そんなに速くするな」という意味合いで、最後までちゃんと聞いてほしい場合や、まだ詰めが甘いと言いたい場合などに使います。

フレーズ 35

印象を話す

look ～ / sound ～

（ルックゥ　サウンドゥ）

～そうだ、～のようだ

見た目の印象はlookで、言葉の印象はsoundで表します。後に続くのは基本的に形容詞です。名詞を続けるにはlikeを挟みます。

基本フレーズを使いこなそう！

Track 52

❶ **You look very happy today.**
今日はとても嬉しそうですね。

happy（嬉しい、ハッピーだ）

❷ **Mr. Sato looks pleased with the idea.**
サトウさんはそのアイデアに満足そうだ。

pleased（喜んで、満足して）

❸ **The kids looked like angels.**
その子供たちは天使みたいだった。

angel（天使）。発音に注意。

❹ **He sounded angry.**
彼は怒っているようだった。

angry（怒って）

❺ **She sounds like a smart lady.**
彼女は賢明な人のようです。

smart（賢い）。日本語のスマート（痩せている）という意味はない。

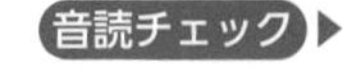

● 話すためのヒント ●

「(あなたは) 今日とても嬉しそうですね」と言いたい場合は、見た印象なのでYou look very happy today.と表現します。話を聞いて「それはよさそうですね」と言いたい場合は、聞いた印象なのでThat sounds good.と表現します。なお、lookやsoundの後に名詞を続けたい場合は、He looks like a nice guy.(彼はよさそうな人だ)、It sounds like a good idea.(それはよさそうなアイデアですね)のようにlook like / sound likeを使います。

これも覚えよう！

❻ **He seems (to be) successful.**
彼は成功しているようだ。
◆ seemは「～のようである」の意味。

❼ **People say (that) this is the most beautiful place.**
これが一番きれいな所だそうです。
◆ People sayは「人々が言う」→「～だそうだ」。

❽ **He appears serious but is actually very humorous.**
彼はまじめそうに見えるが、実はとても面白い。
◆ appear (to be) ～は「～のように見える」の意味。

フレーズ 36

当然を表す

No wonder ～

ノウ　ワンダー

～のはずだ、～も当然だ

当然であることを表すにはNo wonderで始まる文を使います。当然である内容はNo wonderの後に文として続けます。

基本フレーズを使いこなそう！

Track 53

❶ **No wonder they are popular.**
彼らが人気なはずだ。

popular（人気がある）

❷ **No wonder my kids love that.**
子供たちがそれを大好きなはずだ。

❸ **No wonder the street is crowded.**
どうりで通りが混雑しているはずだ。

crowded（混雑して）

❹ **No wonder why you are so happy.**
君がそんなに喜ぶのも当然だ。

❺ **No wonder the work is delicate.**
この作品が繊細なのも当然だ。

delicate（繊細な）

● 話すためのヒント ●

「～のはずだ」「～も当然だ」「～も不思議ではない」と、当然であることを言いたい場合、No wonder ～という表現を使います。wonderは名詞では「不思議」という意味で、「wonderがない」ので、「当然だ」という気持ちを表現できるのです。It'sを付けることもできます。It's no wonder. = No wonder.です。動詞では「不思議に思う」の意味があるので、I wonder if it rains.なら「雨が降るだろうか」と、あいまいな推測の文になります。

No wonder
my kids love that.

❻ It's little wonder (that) people visit here very often.
人がここをよく訪れるのも当然です。
◆ It'sを省略して、Little wonder ～でも使える。

❼ It's not surprising you're tired after working long hours.
長時間働いたので、あなたが疲れているのは当然ですよ。
◆「surprising（驚き）ではない」という文。

❽ I don't wonder you passed the exam. You worked very hard.
あなたが試験に合格したのも当然です。とても一生懸命勉強したから。
◆ wonderを動詞として使って、don't wonderで「当然だ」という意味。

□ 1回目 □ 2回目 □ 3回目

相手と話す練習をしてみよう！ やさしい実戦英会話

Track 54

フレーズ35 look 〜 / sound 〜

❶ 楽しそうですね

They are playing over there.

彼らはあそこで遊んでいます。

They look very happy.

とても楽しそうですね。

◆ 楽しそうな声だけが聞こえてくる場合は、They sound very happy.とします。
over there（あちらで、向こうで）

❷ 驚いているようだった

Did you tell him about it?

彼にそれを伝えましたか。

Yes. He looked very surprised.

はい。とても驚いているようでした。

◆ 電話などで「声を聞いて驚いているようだった」と表現する場合は、He sounded very surprised.とします。

❸ いい考えですね

How about talking about it online?

それについてはオンラインで話し合うのはどうでしょう？

That sounds like a good idea.

よさそうですね。

◆ Thatを省略して、Sounds like a good idea.だけでもよく使います。

Sounds like a good idea.（よさそうですね）など、主語を省略した形も会話ではよく使います。

フレーズ36 No wonder ～

❹ 人気なはず

They can sing and dance very well.

彼らは歌もダンスもとても上手です。

No wonder they are popular.

人気があるはずですね。

◆ It's no wonder ～としてもOK。

❺ 祭りで混雑

People are having a festival over there.

あちらではお祭りをしています。

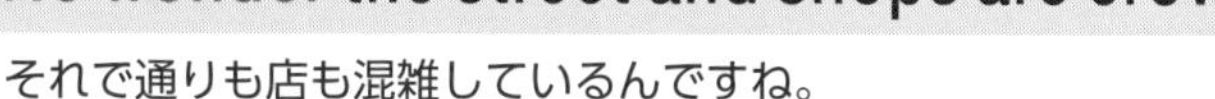

No wonder the street and shops are crowded.

それで通りも店も混雑しているんですね。

◆ be crowdedに似ているのが、be packed。電車や映画館など「人がぎゅうぎゅう詰めになっている」様子を表現します。

❻ 繊細なのも当然

This part has lots of layers of threads.

この部分には、糸が何重にも編み込まれています。

No wonder the work is very delicate.

この作品がとても繊細なのは当然ですね。

◆ layer（層）、thread（糸）

天気・時間のIt

イットゥ
It ～

（天気・時間が）～だ

天気・時間を表すにはItで始まる文を使います。Itの後に天気や時間の表現を続けます。主語のItに「それ」の意味はありません。

基本フレーズを使いこなそう！

Track 55

❶ **It's sunny today.**
今日は天気がいいね。

sunny（晴れた、天気がいい）

❷ **It'll be rainy tomorrow.**
明日は雨模様だ。

rainy（雨降りの）

❸ **It snows a lot around here.**
この辺りは雪がたくさん降ります。

snowは動詞でも使える。around here（この辺りでは）

❹ **It's three o'clock in the morning.**
午前3時です。

Itを時間に使った文。

❺ **It gets dark early these days.**
最近は暗くなるのが早い。

early（早い）、these days（最近、この頃）

音読チェック ▶   □ 1回目 □ 2回目 □ 3回目

● 話すためのヒント ●

代名詞のitには主語としての重要な役割があります。It's sunny.（晴れている）、It's hot and humid.（蒸し暑い）のように天気を表現したり、It's 9 o'clock.（9時です）、It's getting dark.（暗くなってきた）のように時間や状態を表現するのに使えるのです。日本語にする場合は、It'sの部分を「それは」と訳す必要はありません。

これも覚えよう！

❻ It's about three kilometers from the station.
駅から3キロくらいです。
◆ Itは距離を表現するのにも使える。

❼ It's Mina's birthday today.
今日はミナの誕生日です。
◆ 日にも使える。

❽ It's your turn.
あなたの番です。
◆ 状況にも使える。turn（順番）

音読チェック ▶ ☐ 1回目 ☐ 2回目 ☐ 3回目

フレーズ 38

存在を表す

There is [are] ～

ゼァ イズ アー

～がある、～がいる

「物がある」「人がいる」ことを話すにはThere is [are]で始まる文を使います。is/areの後に物や人の名詞を続けます。

基本フレーズを使いこなそう！

Track 56

❶ **There're some pens in the drawer.**
ペンは引き出しにあります。

drawer（引き出し）

❷ **There's a bakery around the corner.**
すぐ近くにパン屋がある。

around the corner（角を曲がった所に、すぐ近くに）

❸ **There's some milk left in the fridge.**
冷蔵庫にミルクが残っている。

fridge（冷蔵庫）。refrigeratorを略した言い方。

❹ **There was a statue in the park.**
公園には彫像がありました。

statue（彫像）

❺ **Are there any students in the classroom?**
教室に生徒たちはいますか。

音読チェック ▶ 
1回目 2回目 3回目

● 話すためのヒント ●

人や物などが「ある」「いる」と言いたい場合は、There is/are ～を使います。例えば、「猫がいる」と言いたいとき、1匹の場合はThere is a cat.、複数いる場合はThere are cats.とbe動詞を使い分けます。またwas/wereと過去形にすれば「あった」「いた」と言えます。There are books on the desk.（机の上に本がある）のように、場所は最後に付け加えます。質問する場合は、Is [Are] there ～とbe動詞を前に出します。

There was a statue
in the park.

これも覚えよう！

❻ There used to be a restaurant over there.
あそこにはレストランがありました。
◆「今はもうない」ということ。used to be（昔は～だった）

❼ There will be more people next year.
来年はもっと人が多くなるでしょう。
◆ 未来形は〈There will be ～〉になる。

❽ There's no telling what will happen.
何が起こるかわからない。
◆ There's no telling ～で、It's impossible to tell ～（～を話すことは不可能）、つまり「わからない」の意味合い。

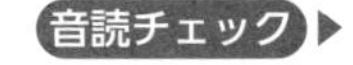

音読チェック ▶ □ 1回目 □ 2回目 □ 3回目

相手と話す練習をしてみよう！

やさしい実戦英会話

Track 57

フレーズ37 It ～

❶ 蒸し暑い

It's hot and humid!

暑くてムシムシしますね。

Yeah, you know Japanese summer.

本当に。日本の夏ですね。

◆ humid（湿気が多い）

❷ 何時ですか

What's the time?

何時ですか。

It's four thirty.

4時半です。

◆ 何時かを聞く場合、Do you have the time?もよく使われます。英語では24時制より12時制が一般的です。

❸ 冬は雪がよく降る

What's the weather like there?

そちらの天気はどんな感じですか。

It snows a lot in winter.

冬には雪がよく降ります。

◆ What's the weather like?はよく使うのでぜひ覚えましょう。雨が多いならIt rains a lot.です。

What's the weather like?（天気はどんな感じですか）は天気の会話で活躍します。

フレーズ38 There is [are] 〜.

❹ ペンは引き出しに

Can I borrow your pen?

ペンを貸してくれる？

Sure. There're some in the drawer.

いいよ。引き出しに入ってるよ。

◆ There're someの後に、pensを省略した答え方をしています。

❺ 近くにパン屋がある

I don't have time.

時間がないなあ。

There's a bakery around the corner.

すぐ近くにパン屋があるじゃない。

◆ bakery（パン屋）

❻ 彫像があった

Why is there a hole next to the tree?

なぜ木の隣に穴があるのですか。

There was a statue.

彫像があったんです。

◆ 応答は過去のことなのでThere was 〜で表現しています。「かつてはあった」と言う場合、There used to be 〜もよく使います。

フレーズ 39

Whatの感嘆文

ワァットゥ

What ～!

なんて～なんだ！

感情を強く表すのが感嘆文で、Whatを使う感嘆文は〈What 名詞 + 主語 + 動詞！〉の形です。〈主語 + 動詞〉は省略されることも多いです。

基本フレーズを使いこなそう！

Track 58

❶ **What a smart girl you are!**
なんて頭がいい子なんだろう！

少女が2人以上いれば、What smart girls you are!になる。

❷ **What a long text that is!**
なんて長いメッセージなんだ！

スマホのメールにはtextを使う。「メールを打つ」と動詞でも使える。

❸ **What a good idea you came up with!**
君はなんていいアイデアを思いついたんだ！

come up with～(～を思いつく)

❹ **What cute babies they are!**
なんて可愛い赤ちゃんたちなんでしょう！

babiesと複数なので、冠詞は付かない。

❺ **What nice weather!**
なんていい天気なんだろう！

weatherは数えられない名詞なので、冠詞は付かない。

音読チェック ▶

話すためのヒント

That's a very cool gadget.（それはとてもかっこいい機器ですね）をWhat a cool gadget (that is)!とすると、「なんてかっこいい機器なんだ！」という感嘆文を作ることができます。文法的には最後にthat isを残しますが、現実の会話ではこの部分はよく省略されます。Whatを使う感嘆文では、aやanの要不要にも注意して、〈形容詞 + 名詞〉を続けます。感嘆文には他にHow ~!の形（フレーズ40）があります。

What nice weather!

これも覚えよう！

❻ What a day!
なんて日なんだ！
◆ いい意味でも悪い意味でも使う。

❼ What a mess!
ひどい散らかりようだ！
◆「これは大変！」などの意味でも。mess（ごちゃごちゃ、混乱）

❽ What the heck!
なんてことだ！
◆ インターネット上では略してWTHとも。Hはheck（ちぇ！）やhell（地獄）で、What the hell!も同意。驚きや嫌悪感、あきらめなど多様な意味で使われる。

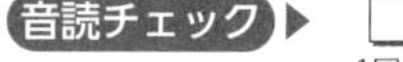
音読チェック
1回目 2回目 3回目

フレーズ 40

Howの感嘆文

ハウ
How ~!

なんて～なんだ！

Howを使う感嘆文は、〈How 形容詞（副詞）＋ 主語 ＋ 動詞！〉の形になります。〈主語 ＋ 動詞〉は省略されることもあります。

基本フレーズを使いこなそう！

Track 59

❶ **How interesting it is!**
それはなんて興味深いんでしょう！

interesting（興味深い）

❷ **How funny he is!**
彼ってめちゃくちゃ面白いですね！

funny（面白い）

❸ **How thoughtful you are!**
あなたってなんて思いやり深いんでしょう！

thoughtful（思いやりのある）

❹ **How beautiful your eyes are!**
あなたの目ってなんてきれいなんでしょう！

❺ **How peaceful this place is!**
ここはなんて穏やかなのでしょう！

peaceful（穏やかな）

音読チェック ▶

話すためのヒント

Howに形容詞や副詞を続けて「なんて～なんだ！」という感嘆文を作ることができます。例えば、Your jacket is very cool.（あなたのジャケット、とてもかっこいいですね）を感嘆文にするには、How cool your jacket is!とします。実際の会話では、相手のジャケットを見ながら、あるいは指さしながら言うので、最後のyour jacket isは省略されることが多くなります。

これも覚えよう！

❻ How nice!

いいね！

◆〈主語 + 動詞〉を省略した形。実際の会話では状況で何に対してかわかるので、この形がほとんど。

❼ How awful!

ひどい！

◆これも〈主語 + 動詞〉がない例。awful（ひどい）

❽ How dare you!

よくもまあ！

◆相手の言動に驚いたり怒ったりしている場合に使われる。例えば、How dare you do such a thing to me!（よくそんなことを私に対してできるね）などが省略された形。

やさしい実戦英会話

Track 60

フレーズ39 What ～!

❶ 偶然ですね

Hi! What are you doing here?

あら！　ここへは何のご用で？

Wow! What a coincidence!

わあ！　すごい偶然ですね！

◆ 偶然出会ったときに。coincidence（偶然）。What a surprise!（びっくりした！）なども同意。

❷ なんて日なんだ

It's past 10 o'clock! I'm so tired.

10時過ぎか！　くたくただよ。

What a day!

なんて日なんだ！

◆ What a day!は、すごくよかった1日にも、最悪だったという1日にも使える表現です。

❸ 可愛いですね

Those are my kids over there.

あそこにいるのが私の子供たちです。

What cute kids!

可愛い子供たちですね！

◆ kidsは複数形なので、aは不要です。

会話ではWhat a day!（なんて日なんでしょう！）やHow interesting!（なんて興味深いんでしょう！）のように、主語・動詞がよく省略されます。

フレーズ40 How ～!

❹ 興味深い

I've been writing a book about children's behavior.

子供たちの行動についての本を書いています。

How interesting! Tell me more.

なんて興味深いんでしょう！　もっと話してください。

◆ How interesting (your book is)!の〈主語 + 動詞〉が省略されています。

❺ 思いやりがある

I didn't want to hurt him.

彼を傷つけたくなかったんです。

How thoughtful you are!

なんて思いやりがあるんでしょう！

◆ 応答はHow thoughtful!だけでもOK。

❻ 穏やかなお寺

How do you like this temple?

このお寺はいかがですか。

How peaceful!

なんて穏やかなのでしょう！

◆ How do you like ～?は、～の印象をたずねる質問です。応答のHow peaceful!はthis temple isが省略されています。

基本動詞を英会話に生かす❹

take

基本のイメージ

　あるモノに向かって手を伸ばして「つかみ取る」、そしてそれを「手に持っている」のが基本のイメージです。そこから「(モノを) 持っていく」「(人を) 連れていく」「取り出す」「(時間が) かかる」「受け取る」「受け入れる」「学ぶ」「必要とする」などさまざまな用法が生まれます。

Take your umbrella with you.
傘を持って行きなさい。

Who takes Josh to the airport?
だれがジョシュを空港に連れていくの？

Don't take it for granted.
それを当然だとは思わないでください。
◆ **take ～ for granted**（～を当然と思う）

She took out her reading glass.
彼女はルーペを取り出した。

第5章

文法を使いこなすフレーズ

日常会話にも基本的な英文法は必要です。特に大切な文法事項に絞って、会話に使う練習をしましょう。ふだんの会話でもよく使う、時制や動名詞、比較、仮定法を取り上げています。

Track 61 ～ 75

意志・未来

アイルゥ
I'll ～

～します、～だろう

willを使えば、意志と未来の両方を表す文をつくれます。I'llとすれば、自分の意志が入ったこれからの行動を表せます。

基本フレーズを使いこなそう！

Track 61

❶ **I'll have chicken, please.**
チキンにします。

レストランで注文するときははっきりと意志を示す。

---

❷ **I'll go to bed early tonight.**
今夜は早く寝ます。

早く寝るという意志。go to bed（寝る）

---

❸ **I will be rich.**
金持ちになるぞ。

リッチになるという意志が表れている。

---

❹ **It'll be rainy tonight.**
今夜は雨になるようです。

雨になるという未来を表す。

---

❺ **Frank will be 20 years old next month.**
フランクは来月20歳になる。

20歳になるという未来を表す。

音読チェック ▶ □ 1回目 □ 2回目 □ 3回目

● 話すためのヒント ●

助動詞のwillは意志と未来の両方に使えます。例えばWe'll go to Okinawa this summer.（この夏は沖縄に行きます）とこれから先の未来を表現できます。一方、I will travel all over the world.（世界中旅をするぞ）は未来でもありますが、willを明確に発音すれば、やり遂げるという意志を表現できます。be going to（フレーズ42）は未来の予定ですが、willは自分の意志を込めることができるのです。

これも覚えよう！

❻ We won't be busy tomorrow.
明日は忙しくはないだろう。
◆ willの否定形にはwon'tを使う。

❼ Shall we meet at the entrance?
入り口で会いましょうか。
◆ 未来だが、相手の意向を聞く表現にもなる。

❽ I'll be meeting them this time tomorrow.
明日の今頃は、彼らに会っているでしょう。
◆〈will be doing〉という形で未来を表す。

音読チェック ▶ ☐ 1回目 ☐ 2回目 ☐ 3回目

フレーズ 42

予定を話す

アイム　ゴゥイング　トゥ

I'm going to ～

～する予定です

be going toは決まった予定を話すときに使います。予定を表す他の表現も一緒に練習しましょう。

基本フレーズを使いこなそう！

Track 62

❶ **I'm going to go to Hokkaido.**
私は北海道に行く予定です。

go toは省略可。

❷ **David is going to graduate next year.**
ディヴィッドは来年、卒業予定です。

graduate（卒業する）

❸ **We are going to eat out tonight.**
私たちは今夜は外食をする予定です。

eat out（外食する）

❹ **Is Mina going to visit you?**
ミナはあなたを訪ねる予定ですか。

visit（訪ねる、訪問する）

❺ **What are you going to do there?**
そこで何をする予定ですか。

具体的な予定をたずねるフレーズ。

音読チェック ▶ □ 1回目 □ 2回目 □ 3回目

● 話すためのヒント ●

〈be going to ～〉で確定している予定を表現できます。toの後は動詞の原形です。例えば、I'm going to go to Australia next summer.は「来年の夏、オーストラリアへ行く」という確定している予定を表します。I was going to call you, but I totally forgot.（あなたに電話する予定だったけど、すっかり忘れてしまった）のように過去のことにも使えます。

We are going to eat out tonight.

これも覚えよう！

❻ I'm planning to have a party next Sunday.
来週の日曜日にパーティーをする予定です。
◆ plan to do（～する計画だ）、have a party（パーティーを行う）

❼ I'm supposed to eat lunch with Mr. Kato.
カトウさんと昼食を取る予定です。
◆ be supposed to do（～することになっている）

❽ He's expected to come at three.
彼は3時に来る予定です。
◆ be expected to do（～する予定だ、～するはずだ）

相手と話す練習をしてみよう！

やさしい実戦英会話

Track 63

フレーズ41 I'll ～

❶ パスタにします

I'll have pasta with tomato sauce, please.

トマトソースのパスタをお願いします。

Make it two, please.

同じものをください。

◆ レストランなどで注文するときにはI'll have ～が使えます。Make it two.は「私もそれをいただきます」という表現です。

❷ 来年こそ

I will pass the exam next year for sure!

来年こそ、あの試験に通るぞ！

Go for it!

がんばれ！

◆ 最後にfor sureを使い、「来年こそ！」という気持ちを強調しています。またI will definitely pass ～のようにdefinitely（必ず、絶対）を使うこともできます。

❸ 夜は雨模様

Take your umbrella.

傘を持って行って。

Sure. It'll be rainy tonight.

もちろん。今夜は雨になるらしいね。

◆ 応答はIt will rain ～（雨が降るだろう）としてもOKです。

レストランで注文品を伝えるときには、I'll have ～.（～をお願いします）が便利です。

フレーズ42 I'm going to ～

❹ パリに滞在する

I'm going to stay in Paris.

パリに滞在する予定です。

What are you going to do there?

そこで何をする予定ですか。

◆ 質問のbe going toに対して、be going toを使って返すこともできます。

❺ 今夜の予定は？

What are you doing tonight?

今夜は何をする予定ですか。

We are going to eat out.

私たちは外食する予定です。

◆ 質問はWhat are you going to do tonight?としても同意です。

❻ 留学する

Mina is going to study abroad.

ミナは留学する予定です。

For how long?

どれくらいの間ですか。

◆ study abroad（留学する）

フレーズ 43

進行形

be + 動詞ing

（ビー、イング）

～している

動詞の進行形〈be + 動詞ing〉は、動作の進行に使うだけではありません。確定している予定などに使うこともできます。

基本フレーズを使いこなそう！

Track 64

❶ **I'm having breakfast now.**
今、朝食を食べているところです。

進行中の動作を表す。breakfast（朝食）

❷ **Kate is getting ready for school.**
ケイトは学校に行く支度をしているところです。

進行中の動作を表す。get ready for ～（～の準備をする）

❸ **We are visiting our grandmother next month.**
私たちは来月、祖母を訪ねます。

確定している予定を表す。

❹ **She's always reading books.**
彼女はいつも本を読んでいる。

習慣的な動作を表す。

❺ **I'm teaching high-school students at home.**
私は自宅で高校生を教えています。

習慣的な動作を表す。

音読チェック ▶ ☐ 1回目 ☐ 2回目 ☐ 3回目

● 話すためのヒント ●

〈be + 動詞ing〉の形で、「進行中の動作」「確定している予定」「習慣的な行動」などを表せます。I'm watching TV.（今テレビを見ているところだ）は今している動作を表現する基本の使い方です。I'm leaving for London next week.（来週ロンドンへ向かう）は確定している予定、He's always complaining.（彼はいつも文句を言っている）は習慣的な行動を表します。I'm writing a book about English conversation.（英会話の本を書いているんだ）と言えば、最近の行動を表現できます。

She's always reading books.

これも覚えよう！

❻ I've been learning English for ten years.
私は10年間ずっと英語を勉強している。
◆ 過去から現在までの動作の継続を表す（現在完了進行形）。

❼ I'll be waiting for you.
お待ちしております。
◆ 未来の進行中の動作を表す（未来進行形）。

❽ It was raining at that time.
あのときは雨が降っていた。
◆ 過去の進行中の動きを表す。at that time（あのときは）

音読チェック
1回目 2回目 3回目

現在完了

have（ハヴ） + 過去分詞

~している、~してしまったところだ、~したことがある

現在完了形は「継続」「完了」「経験」を表します。よく使う例文を練習して、使い方を感覚的に覚えましょう。

基本フレーズを使いこなそう！

Track 65

❶ **I've been to Hawaii three times.**
ハワイには3回行ったことがあります。

「行ったことがある」という「経験」を表すときには〈have been to ～〉を使う。

❷ **Melissa has lived in Japan for three years.**
メリッサは日本に3年間住んでいる。

「継続」を表す。

❸ **We've known each other since we were kids.**
私たちは子供の頃からの知り合いです。

「継続」を表す。

❹ **We have just finished the project.**
私たちはプロジェクトを終えたところだ。

つい直近に終えたという「完了」を表す。

❺ **I haven't seen you for a long time.**
久しぶりですね。

ずっと会っていないという「継続」を表す。

音読チェック ▶ 

● 話すためのヒント ●

〈have ＋ 過去分詞〉でつくる現在完了形は、過去から現在へと幅があり、「ずっと〜している（継続）」「今〜してしまったところだ（完了）」「〜したことがある（経験）」を表現できます。例えばWhat did you do?と聞けば、過去のある時点で「何をしたのですか」とシンプルにたずねることになりますが、現在完了形を使ってWhat have you done?と聞くと、例えば床に割れた花瓶などがあり、その前にいる人に「一体何をしてしまったの?」と聞く、過去の出来事が現在に及ぶリアルな表現になります。

I've been to Hawaii three times.

これも覚えよう！

❻ We've been friends for more than 20 years.

私たちは20年来の友人です。

◆ 20年以上ずっと友人で、これからも続いていくイメージ。

❼ Have you been to Finland?

フィンランドに行ったことがありますか。

◆「行ったことがあるか」という経験を質問する文。

❽ How long have you been married?

結婚してどれくらいになりますか。

◆ 期間をたずねる場合はHow longを文頭に出す。

やさしい実戦英会話

Track 66

フレーズ43 be + 動詞ing

❶ 何をしているの？

Dave, what are you doing now?

デイヴ、今何をしているの？

I'm cooking. Why?

料理中だよ。なんで？

◆ 相手の姿が見えない部屋から、何をしているのかを聞いている家族の会話を想像してみてください。

❷ 週末の予定は？

What are you doing next weekend?

来週末は何をする予定ですか。

I'm visiting my parents.

両親を訪ねる予定です。

◆ 応答は確実な予定を進行形で表現しています。

❸ いつも本を読んでいる

Yuri's in the library.

ユリは図書館にいます。

Again? She's always reading books.

また？　彼女はいつも本を読んでいますね。

◆ いつもしていることも進行形で表現できます。

「行ったことがあるか」と聞かれて、一度もなければNever.などを使って答えます。

フレーズ44 have + 過去分詞

❹ 行ったことがある

Have you ever been to New Zealand?

ニュージーランドへ行ったことはありますか。

Yes, I've been there twice.

はい、2回あります。

◆ 一度も行ったことがない場合は、Never.やNo, I haven't.などが定番の返答です。

❺ 知り合い？

How long have you known each other?

どれくらいの間、知り合いなのですか。

For more than 10 years.

10年以上です。

◆ forは「～の間」と継続の期間を表すのに使います。なお、sinceは「～から」と過去の起点を示し、こちらも現在完了でよく使います。

❻ 終わった？

Have you finished the project?

プロジェクトを終えましたか。

Not yet. We need a little more time.

まだです。もう少し時間が必要です。

◆ もちろんNo, we haven't finished it yet.（まだ終えていません）と返答してもOK。

動名詞

動詞ing（イング）

～すること

動名詞は〈動詞 + ing〉の形で、主語・目的語・補語になります。不定詞（名詞的用法）も一緒に練習しておきましょう。

基本フレーズを使いこなそう！

Track 67

❶ **Aging is beautiful.**
歳を重ねることは美しい。

動名詞が主語に。ageは動詞で「歳をとる」。

---

❷ **I love learning languages.**
言葉を学ぶことが大好きです。

動名詞が目的語に。language（言語）

---

❸ **I enjoy sleeping on Sundays.**
日曜日は睡眠を楽しみます。

動名詞が目的語に。

---

❹ **His job was delivering food items.**
彼の仕事は食料品の配達だった。

動名詞が補語に。deliver（配達する）

---

❺ **Complaining gets you nowhere.**
文句を言っても始まらない。

complain（文句を言う）。get you nowhere（どこにも連れて行かない→始まらない）

□ 1回目 □ 2回目 □ 3回目

● 話すためのヒント ●

「読書は大事です」と言いたい場合、It is important to read books.という文を思い浮かべる方もいるかもしれません。これも正しい文ですが、Reading is important (for us).と言うと、より直接的で生き生きとした英語になります。動詞にingを付ければ動名詞になり、「～すること」を表せます。主語、目的語、補語として使えます。I like reading books.（本を読むことが好きだ：目的語）、My hobby is reading books.（趣味は本を読むことだ：補語）

これも覚えよう！

❻ To exercise is important for you.
運動することがあなたには重要です。
◆ to不定詞も「～すること」の意味になる。

❼ A key to success is to make efforts.
成功へのカギは、努力をすることだ。
◆ このto不定詞の部分は補語になっている。make efforts（努力する）

❽ It's useless to compare Roger to Anton.
ロジャーをアントンと比べることに意味はない。
◆ Itがto以下を指している。useless（役に立たない）、compare A to B（AをBと比較する）

音読チェック ▶ □1回目 □2回目 □3回目

フレーズ 46

同等比較

アズ　アズ
as ～ as ...

…と同じくらい～

〈as ～ as ...〉を使うと「2つのものが同じくらいだ」と言えます。この形を同等比較と呼びます。

基本フレーズを使いこなそう！

Track 68

❶ **My mother is as old as your mother.**
私の母はあなたのお母さんと同じくらいの年齢です。

❷ **He works as hard as you do.**
彼はあなたと同じくらい一生懸命働きます。

仕事をする熱心さが同等。

❸ **Your English is as good as Saori's.**
あなたの英語はサオリと同じくらい上手です。

英語の上手さが同等。

❹ **He can sing as well as you.**
彼はあなたと同じくらい上手に歌えます。

歌のうまさが同等。

❺ **I'm not as smart as you are.**
私はあなたほど頭がよくないです。

否定文にすれば「…ほど～ない」になる。

音読チェック ▶ □ 1回目 □ 2回目 □ 3回目

● 話すためのヒント ●

「AはBと同じくらい～だ」と言いたい場合は、〈A is as ～ as B〉の形で表現します。例えば、Mike is as tall as I.（マイクは私と同じくらいの背丈だ）。as ～ asの間には、形容詞、副詞、〈形容詞 + 名詞〉などを入れます。〈形容詞 + 名詞〉の例は、You have as many books as I (do).（あなたは私と同じくらい多くの本を持っている）です。

He works as hard as you do.

❻ Like his last album, this one will be just as popular.
彼の前回のアルバム同様、これも人気になるだろう。
◆ just as = equally（同様に）

❼ We need a new plan as soon as possible.
私たちはできるだけ早く新しいプランが必要だ。
◆ as soon as possible（できるだけ早く）。as soon as we canでも同意。

❽ I wanted to go as far as possible.
私はできるだけ遠くに行きたかった。
◆ as far as possible（できるだけ遠くに）

やさしい実戦英会話

Track 69

フレーズ45 動詞ing

❶ 文句を言っても

They keep grumbling about the boss.
彼らは上司の文句ばかり言っています。

Complaining gets you nowhere, you know.

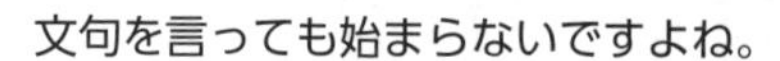

文句を言っても始まらないですよね。

◆ grumbleは「文句を言う」で、complainの同義語。

❷ 言葉が大好き

I heard you are learning Spanish and Chinese.
スペイン語と中国語を習っているそうですね。

Yes. I love learning languages.
はい。言葉を学ぶことが大好きなんです。

◆ 応答のlearning は「学ぶこと」で、loveの目的語になっています。

❸ 社長の小さな店

Our president started a small store 30 years ago.
私たちの社長は小さな店を30年前に始めました。

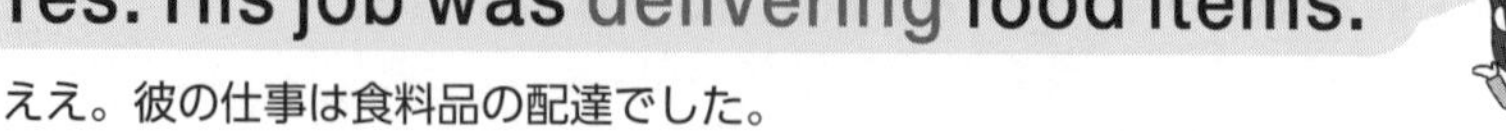

Yes. His job was delivering food items.
ええ。彼の仕事は食料品の配達でした。

◆ deliveringは「配達すること」で、補語になっています。president（社長）

「～すること」と言いたいときには動名詞がさっと使えるようにしましょう。

フレーズ46 as ～ as ...

❹ 仕事ぶり

How's Naoto doing?

ナオトはどうですか。

He's doing great. He works as hard as you do.

すばらしいです。彼はあなたと同じくらい一生懸命働きます。

◆ 応答のas hard as you doのdoは省略可。

❺ 日本語が上手

I've been learning Japanese for five years.

日本語を5年間勉強しています。

Your Japanese is as good as Santos'.

あなたの日本語はサントスさんと同じくらい上手です。

◆ 応答はYou speak Japanese as well as Santos does.（あなたはサントスさんと同じくらい上手に日本語を話す）としても同意。

❻ 理解できない

Did you get my point?

私の言いたいことをわかってくれた？

Well, I'm not as smart as you.

あなたほど頭がよくないのでね。

◆ get one's point（言いたいことがわかる）

比較級

モア　　ザァン
more ～ than ...

…より～だ

2つのものを比較して、違いを述べるときには比較級の形を使います。パターンはシンプルなので、この形を繰り返し練習しましょう。

基本フレーズを使いこなそう！

Track 70

❶ **Ken is taller than you.**
ケンはあなたより背が高い。

ケンとあなたの背丈を比較している。

❷ **This computer is cheaper than that one.**
このコンピュータはあのコンピュータより安い。

oneはcomputerを指す。cheap (安い)

❸ **This story is more interesting than that story.**
この物語はあの物語より面白い。

❹ **It's better than I thought.**
それは思っていたよりいいですね。

物事が予想よりよかったときのコメント。

❺ **She's more qualified than Mr. Goto.**
彼女はゴトウさんよりふさわしい。

qualified（資格がある）

□ 1回目　□ 2回目　□ 3回目

● 話すためのヒント ●

2つのものを比較して「AはBより～」と言いたい場合は、〈A is more ～ than B.〉の比較級の形で表現します。形容詞・副詞の比較級をつくるには、beautiful（きれいな）のように長い単語はmoreを使い、more beautiful（よりきれいな）とします。一方、短い単語の場合は、easy → easier（より簡単な）、short→ shorter（より短い）のようにerを付けます。比較級は2つのものの比較以外にも、I have one older brother.（私は兄が一人います）のように使うこともできます。

It's better than I thought.

これも覚えよう！

❻ Jane plays the piano better than Taro.
ジェインは、タロウより上手にピアノを弾く。
◆ good/well（よい、上手に）の比較級は better。

❼ The traffic jam gets worse after six o'clock.
交通渋滞は6時以降ひどくなる。
◆ bad（悪い）の比較級はworse。traffic jam（交通渋滞）

❽ She has more books than he.
彼女は彼よりたくさんの本を持っている。
◆ many（たくさん）やmuch（多い）の比較級はmore。最後のheはhe doesのdoesを省略したものだが、会話ではhimもよく使われる。

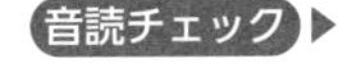

最上級

ザ　モウストゥ
the most ～

最も～だ

いくつかのものを比較して何が一番かを表現するのが最上級です。これも形は決まっているので、すぐに口から出るように練習しましょう。

基本フレーズを使いこなそう！

Track 71

❶ **She is the best student in the class.**
彼女はクラスで一番できる生徒です。

❷ **Mt. Fuji is the highest mountain in Japan.**
富士山は日本で一番高い山です。

❸ **What is the most popular sport?**
一番人気があるスポーツは何ですか。

❹ **He is one of the most famous actors.**
彼は最も有名な俳優の１人だ。

famous（有名な）、actor（俳優）

❺ **Let's choose the most convenient way.**
一番便利な方法を選ぼう。

choose（選ぶ）、convenient（便利な）

□ 1回目　□ 2回目　□ 3回目

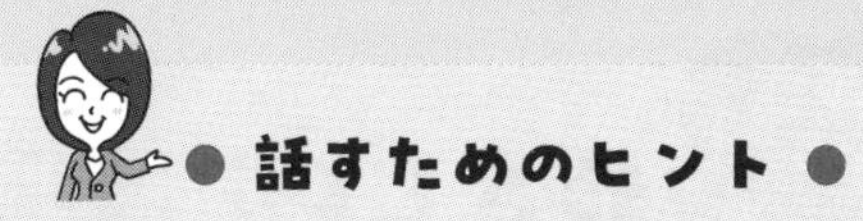

いくつかあるものの中で「最も～」と言いたい場合は、〈the most ～〉を使って最上級で表現します。例えば「一番きれいな町」と言いたい場合は、the most beautiful townです。なお、短い単語の場合は、単語の語尾にestを付け、tall→ tallest（一番背が高い）のように変化させて最上級を作ります。特殊な例では、good/well → best、bad → worst、little → least、many/much → mostと変化します。

What is the most popular sport?

これも覚えよう！

❻ She's the best swimmer in this club.
彼女はこのクラブで一番速く泳ぎます。
◆ goodの最上級はbest。

❼ That's the worst joke I've ever heard.
それは今まで聞いた中で最悪のジョークです。
◆ badの最上級はworst。

❽ We'll have the least damage by this method.
この方法で私たちは最小限の損害で済むでしょう。
◆ little（少しの）の最上級はleast。

相手と話す
練習をしてみよう!

やさしい実戦英会話

Track 72

フレーズ47 more ～ than ...

❶ 背丈を比べる

Who is taller, Tomo or Shiro?

トモとシロー、どちらが背が高いですか。

Shiro is taller than Tomo.

シローはトモより背が高いです。

◆ tall（背が高い）は短い単語なので、erを付けて比較級にします。

❷ 物語を比べる

How did you find the stories?

それらの物語はどうでしたか。

This story was more interesting than that story.

この物語は、あの物語より面白かったです。

◆ interesting（面白い）は長い単語なのでmoreを付けて比較級にします。

❸ 予想以上だった

How was the presentation?

プレゼンはどうでしたか。

It was better than I had expected.

予想していたよりよかったです。

◆ betterはgoodの比較級です。expect（予想する）

〈one of the most ～〉（最も～な中の1つ）は一番だと言い切れないときに使える便利な表現です。

フレーズ48 the most ～

❹ 富士山

Mt. Fuji is the highest mountain in Japan.

富士山は日本で一番高い山です。

I know. It's a very famous mountain.

知っています。富士山はとても有名な山ですね。

◆「背が高い」はtall、「ビルが高い」にもtallがよく使われます。

❺ 人気のあるスポーツ

What is the most popular sport in Japan?

日本で一番人気があるスポーツは何ですか。

I think it's baseball.

野球だと思います。

◆応答は、Baseball is the most popular sport in Japan.と言い換えることもできます。

❻ 有名な俳優

Who is that man?

あの男性はだれですか。

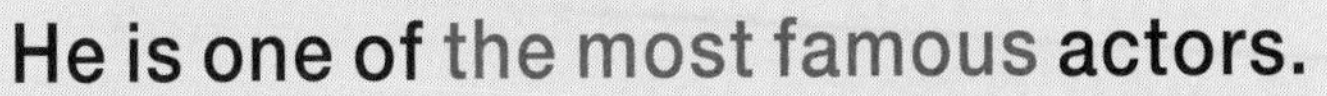

He is one of the most famous actors.

彼は最も有名な俳優の１人です。

◆〈one of the most ～〉（～の１人［１つ]）の形もよく使います。famousの代わりにwell-knownでもOK。

フレーズ **49**

直説法／仮定法過去

If（イフ） + 主語 + 現在形/過去形 ～

もし～なら

Ifを使った表現は、Ifの文（if節）と、その後の文（帰結節）の関係を意識しましょう。それぞれの節の動詞（助動詞）の形がポイントです。

基本フレーズを使いこなそう！

Track 73

❶ **If you try, you'll make it.**
やってみれば、できるよ。

直説法なので、可能性が高い。make it（成し遂げる、到着する）

❷ **If Mari asks him, he will say yes.**
もしマリが頼めば、彼はイエスと言うだろう。

❸ **If you need money, I'll lend you some.**
もしお金が必要なら、いくらかお貸しします。

❹ **If I were you, I wouldn't do that.**
もし私があなたなら、それはしないかな。

仮定法過去なので、Iの意志が弱い。

❺ **If you improved your IT skills, you'd get a job.**
IT技術を磨けば、仕事があるかも。

you'd = you would。improve（向上する・させる）

音読チェック ▶ 
1回目 2回目 3回目

● 話すためのヒント ●

〈If + 主語 + 動詞の現在形, 主語 + will 動詞〉はIf it rains, I'll stay at home.（雨が降ったら、家にいる）のように、可能性が高かったり、本人の意志が強かったりする場合に使います（直説法）。一方、〈If + 主語 + 動詞の過去形, 主語 + 助動詞の過去形 + 動詞〉はIf it rained, I'd stay at home.（雨が降ったら、家にいるかな）のように、可能性が低かったり、本人の意志が弱かったりする場合に使います（仮定法過去）。

If you try, you'll make it.

これも覚えよう！

❻ **Are you ready? If not, I'll wait.**
準備できた？　まだなら、待つよ。
◆ If you are not readyをIf not（～でなければ）だけで表現している。

❼ **Even if it rains, do you want to go?**
雨が降っても、行きたいですか。
◆ even if（たとえ～でも）

❽ **You'll understand only if you put yourself in his shoes.**
彼の立場で考えさえすれば、理解できるよ。
◆ only if（～でさえあれば、～の場合のみ）、put oneself in one's shoes（～の立場になってみる）

フレーズ 50

仮定法過去完了

If + 主語 + had 過去分詞 ～

（イフ／ハドゥ）

もし～だったら

仮定法過去完了もif節と帰結節の動詞・助動詞を一致させるのがポイントです。会話でもよく使うので、パターンを身につけておきましょう。

基本フレーズを使いこなそう！

Track 74

❶ If I had worked **harder,** I would have passed **the exam.**

もっと一生懸命勉強していたら、その試験に合格していただろう。

❷ If I had had **more energy,** I would've gone **further.**

would've = would have

もっと元気があれば、より遠くに行ったのに。

❸ If we had had **a little more time,** we'd have finished **it.**

あと少し時間があれば、私たちはそれを完了していただろう。

❹ If you had told **me earlier,** I'd have visited **you.**

もっと早くに言ってくれていたら、あなたを訪ねたのに。

❺ If she had been **there,** she'd have helped **you.**

もし彼女がそこにいたら、あなたを手伝ってくれたでしょう。

音読チェック ▶ □ 1回目 □ 2回目 □ 3回目

話すためのヒント

過去に起こったことについて、「(もし) あのとき～だったら」と振り返る場合の表現です。If it had rained, I'd have stayed at home.（もし雨が降っていたら、家にいたのに）のように〈If + 主語 + 過去完了 (had 過去分詞), 主語 + 助動詞の過去形 + 現在完了〉の形になります。「実際には雨が降らなかったので、家にはいなかった」という過去の事実も表しています。

If I had had more energy, I would've gone further.

これも覚えよう！

❻ We would've arrived on time if we had caught the train,
あの列車に乗れていたら、時間通りに着いたのに。
◆ if ～は後ろに持ってくることもできる。

❼ Had we got up earlier, we'd have caught the bus.
早起きしていたら、あのバスに乗れたのに。
◆ If we had got up ～のifを省略した形。Hadが前に出る。

❽ I should've told you earlier.
もっと早くに言っておいたらよかったですね。
◆ if ～がない文で、過去の行動に対する後悔の気持ちを表現する。

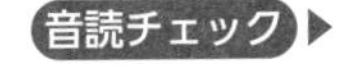

相手と話す練習をしてみよう！

やさしい実戦英会話

Track 75

フレーズ49 If + 主語 + 現在形/過去形 〜

❶ あなたが頼めば

We need Pete on this project.

このプロジェクトにはピートが必要です。

If you ask him, he will say yes.

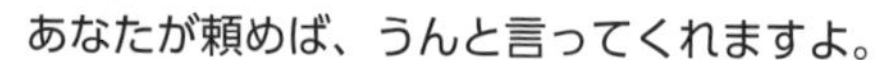

あなたが頼めば、うんと言ってくれますよ。

◆ 確信の度合いが薄ければ、If you asked him, he'd say yes.と表現できます。

❷ 貸しますよ

Oh, that's the latest novel by Murakami.

あ、それはムラカミの最新の小説ですね。

If you want, I'll lend this to you.

よければ、お貸ししますよ。

◆ 相手がI'd lend this 〜と言ったら、貸してくれる気があまりないかもしれません。「借りる」はborrowです。

❸ 私があなただったら

I can't find a job.

仕事が見つからなくて。

If I were you, I would improve my IT skills,

私があなただったら、IT技術を磨くかな。

◆ If I were you 〜を、If I was you 〜と言う人も多いです。

We should've started earlier.（もっと早くに始めるべきだった）のように、if節なしでもよく使います。

フレーズ50 If + 主語 + had 過去分詞 〜

❹ もっと勉強していたら

If only I had worked harder ...

もっと一生懸命勉強してさえいたら…

I know, you'd have passed the exam, right?

試験に合格していたのに、でしょ？

◆ 2人で1つの過去に対する仮定を完成させている会話です。If only 〜は「〜でさえあれば」という表現です。

❺ もっと時間があれば

If we had had more time, we'd have finished the project.

もっと私たちに時間があれば、あのプロジェクトを完了していたのに。

We should've started earlier.

もっと早くに始めるべきだったんです。

◆ If we had had 〜のようにhadが連続する形はよくあります。応答は〈主語 + 助動詞 + 現在完了〉の部分だけを使い、後悔を表しています。

❻ 手伝ったのに

We were very busy yesterday.

私たちは昨日とても忙しかったです。

Oh, I'm sorry. I should've helped you.

それはすみません。お手伝いするべきでした。

◆ 応答は、〈主語 + 助動詞 + 現在完了〉の部分だけを用いて後悔を表現しています。

基本動詞を英会話に生かす❺

make

基本のイメージ

「作る」が基本のイメージです。ただ、日本語では「子供」「農作物」「笑顔」などを「作る」と言いますが、英語にはこれらの用法はありません。代わりに「(デザイナーなどに) なる」「～させる」「理解する」「(電話を) かける」「間に合う」「お金を稼ぐ」など、別の意味の広がりがあります。

I want to make that dress.
そんなドレスを作りたいです。

You'll make a super chef.
君はすばらしいシェフになるよ。

Let me make a phone call.
電話をかけさせてください。

Ted made money quickly.
テッドは素早くお金を儲けた。

基本動詞を英会話に生かす❻

do

基本のイメージ

「(何かを) する」が基本のイメージです。目的を持ち、ゴールに向かって何かを達成しようと行動を起こしている場合の「する」で、何気ない動作を表しているのではありません。そこから「(調子よく) やっている」「整える」「上演する」「書く」「作る」など多様な意味の広がりを持ちます。

I've been doing great.
私は元気いっぱいでやっています。

Whatever you do, I'll follow you.
あなたが何をするにしても、ついていくよ。

He does the dishes.
彼が皿洗いをします。

Anything will do.
何でもいいですよ。

●著者紹介
妻鳥千鶴子　Tsumatori Chizuko
大阪府出身。関西大学、近畿大学非常勤講師。主な英語関連の資格はケンブリッジ英検特 A 級（CPE）、英検 1 級など。
主要著書：『会話できる英文法大特訓』、『新ゼロからスタート英単語』、『WORLD NEWS BEST 30』、『ネイティブがスゴークよく使う　ことわざ引用英会話大特訓』（以上、J リサーチ出版）。

カバーデザイン　TOMO
本文デザイン／ DTP　アレピエ
カバー・本文イラスト　福田哲史
編集協力　成重　寿
CD 制作　高速録音株式会社
ダウンロード音声制作　一般財団法人　英語教育協議会（ELEC）
ナレーター　Howard Colefield ／ Karen Haedrich ／水月優希

本書へのご意見・ご感想は下記URLまでお寄せください。
https://www.jresearch.co.jp/contact/

新ゼロからスタート英会話

令和6年（2024年）1月10日　初版第1刷発行

著　者　妻鳥千鶴子
発行人　福田富与
発行所　有限会社　J リサーチ出版
〒166-0002 東京都杉並区高円寺北 2-29-14-705
電話 03(6808)8801(代)　FAX 03(5364)5310
編集部 03(6808)8806
https://www.jresearch.co.jp
印刷所　㈱シナノ パブリッシング プレス

ISBN978-4-86392-606-6　

すぐに使える英会話フレーズ50

これまで学習した50のフレーズについて、特に役立つ代表的な例文を選んでまとめました。日本語を見て英語を話す「アウトプット練習」をしましょう。

学習のしかた

① 左ページに「日本語訳」が、右ページに「英語例文」が掲載されています。「日本語訳」を見ながら、「英語例文」を言ってみましょう。使うフレーズの骨格をヒントにしましょう。

② わからなければ、「英語例文」を見て音読しましょう。

③ ①と②を繰り返して、50の例文を覚えてしまいましょう。しっかり覚えれば、本書で学習した50フレーズを実際の会話で使いこなす基礎ができあがります。

すぐに使える英会話フレーズ①〜⑩

① 何から何までありがとう。

→ Thank you for 〜

② 何もできずに申し訳ないです。

→ I'm sorry 〜

③ すみませんが、少しお時間をよろしいですか。

→ Excuse me, but 〜

④ もう１ついただきたいです。

→ I'd like 〜

⑤ 手伝ってくれますか。

→ Can you 〜?

⑥ 一緒に来ませんか。

→ Why don't you 〜?

⑦ 今、お話ししてもよろしいでしょうか。

→ May I 〜?

⑧ 温度を上げていただけますか。

→ Do you mind 〜?

⑨ 食べてみて。

→ You should 〜

⑩ もっと上手にできるよ。

→ You can 〜

① Thank you for **everything.**

お礼を言う → p.16

② I'm sorry **I can't do anything.**

謝罪する → p.18

③ Excuse me, but **do you have a moment?**

声をかける → p.22

④ I'd like **one more, please.**

欲求を表す → p.24

⑤ Can you **give me a hand**?

依頼する → p.28

⑥ Why don't you **join us**?

提案する・勧誘する → p.30

⑦ May I **talk to you now**?

許可を求める → p.34

⑧ Do you mind **turning up the temperature**?

丁寧に許可を求める → p.36

⑨ You should **try this.**

アドバイスする → p.40

⑩ You can **do better.**

可能を表す → p.42

すぐに使える英会話フレーズ⑪～⑳

⑪ 私たちのチームが勝つと思います。

→ I think ～

⑫ あいにく、お手伝いができません。

→ I'm afraid ～

⑬ また会えて嬉しいです。

→ I'm happy ～

⑭ 食事を楽しんでください。

→ enjoy ～

⑮ あなたが去ってからずっと悲しい。

→ I've been sad ～

⑯ あなたの親切さには驚きます。

→ I'm surprised ～

⑰ 少し腹が立っています。

→ I'm angry ～

⑱ タバコをやめなくてはいけない。

→ I must ～

⑲ 君に大賛成です。

→ I agree ～

⑳ きっと気に入るよ。

→ I'm sure ～

⑪ I think our team will win.

思う → p.48

⑫ I'm afraid I can't help you.

残念なことを話す → p.50

⑬ I'm happy to see you again.

嬉しい・楽しい → p.54

⑭ Enjoy your meal.

楽しむ → p.56

⑮ I've been sad since you left here.

悲しむ → p.60

⑯ I'm surprised at how kind you are.

驚く → p.62

⑰ I'm a little angry.

怒る → p.66

⑱ I must stop smoking.

義務・必要 → p.68

⑲ I totally agree with you.

賛成・反対 → p.72

⑳ I'm sure you'll like it.

確信する → p.74

すぐに使える英会話フレーズ㉑～㉚

㉑ 今日の午後は空いていますか。

→ Are you ～?

㉒ 寒くて、風が強いですね。

→ ～, isn't it?

㉓ もう少しいかがですか。

→ Don't you ～?

㉔ 店内で召し上がりますか、それともお持ち帰りですか。

→ A or B?

㉕ お誕生日はいつですか。

→ When ～?

㉖ トイレはどこですか。

→ Where ～?

㉗ 私たちはだれを招待すべきでしょうか。

→ Who ～?

㉘ お仕事は何ですか。

→ What ～?

㉙ なぜ会議は延期されたのですか。

→ Why ～?

㉚ 調子はどう？

→ How ～?

㉑ Are you free this afternoon?

Yes/No疑問文 → p.80

㉒ It's cold and windy, isn't it?

付加疑問文 → p.82

㉓ Don't you want some more?

否定疑問文 → p.86

㉔ For here or to go?

選択疑問文 → p.88

㉕ When's your birthday?

時を聞く → p.92

㉖ Where is the bathroom?

場所を聞く → p.94

㉗ Who should we invite?

「だれ」を聞く → p.98

㉘ What do you do?

「何」を聞く → p.100

㉙ Why was the meeting postponed?

理由・目的を聞く → p.104

㉚ How's it going?

様態・手段を聞く → p.106

すぐに使える英会話フレーズ㉛〜㊵

㉛ そうですねえ。

→ Let me ～

㉜ ご結婚おめでとう。

→ Congratulations on ～

㉝ こちらへどうぞ。

→ Please come ～

㉞ 遅れないでね。

→ Don't ～

㉟ 今日はとても嬉しそうですね。

→ You look ～

㊱ 子供たちがそれを大好きなはずだ。

→ No wonder ～

㊲ 午前３時です。

→ It's ～

㊳ すぐ近くにパン屋がある。

→ There's ～

㊴ なんていい天気なんだろう！

→ What ～!

㊵ あなたの目ってなんてきれいなんでしょう！

→ How ～!

㉛ Let me **see.**

使役のlet → p.112

㉜ Congratulations on **your wedding.**

お祝いをする → p.114

㉝ Please come **this way.**

命令文 → p.118

㉞ Don't **be late.**

禁止を表す → p.120

㉟ You look **very happy today.**

印象を話す → p.124

㊱ No wonder **my kids love that.**

当然を表す → p.126

㊲ It's **three o'clock in the morning.**

天気・時間のIt → p.130

㊳ There's **a bakery around the corner.**

存在を表す → p.132

㊴ What **nice weather!**

Whatの感嘆文 → p.136

㊵ How **beautiful your eyes are!**

Howの感嘆文 → p.138

すぐに使える英会話フレーズ㊶～㊿

㊶ チキンにします。

→ I'll ～

㊷ 私は北海道に行く予定です。

→ I'm going to ～

㊸ 今、朝食を食べているところです。

→ I'm having ～

㊹ ハワイには3回行ったことがあります。

→ I've been to ～

㊺ 言葉を学ぶことが大好きです。

→ 動詞ing

㊻ 私の母はあなたのお母さんと同じくらいの年齢だ。

→ as ～ as ...

㊼ それは思っていたよりいいですね。

→ better than ～

㊽ 一番人気があるスポーツは何ですか。

→ the most ～

㊾ やってみれば、できるよ。

→ If you ～

㊿ もっと早くに言ってくれていたら、あなたを訪ねたのに。

→ If you had ～

41 I'll have chicken, please.

意志・未来 → p.144

42 I'm going to go to Hokkaido.

予定を話す → p.146

43 I'm having breakfast now.

進行形 → p.150

44 I've been to Hawaii three times.

現在完了 → p.152

45 I love learning languages.

動名詞 → p.156

46 My mother is as old as your mother.

同等比較 → p.158

47 It's better than I thought.

比較級 → p.162

48 What is the most popular sport?

最上級 → p.164

49 If you try, you'll make it.

直説法／仮定法過去 → p.168

50 If you had told me earlier, I'd have visited you.

仮定法過去完了 → p.170

だれでも通じる発音が身につく！

発音ミニレッスン

日本人はどこに注意すれば、英語らしい発音ができるのでしょうか。日本人の苦手な発音にフォーカスして、通じる発音をめざします。

●まずは子音から

スムーズなコミュミケーションのために、まずは子音を正確に発音できるように練習しましょう。

ここでは、特に私たち日本人が弱いと言われる**「RとL」**、**「THとS」**、**「VとFとB」**、**「SHとS」**の発音について練習できるようになっています。

発音のしかたについて理解できたら、ぜひ付属の音声を利用して、それぞれの発音が正確に聞き取れるか、自分が正確に発音できるかをチェックしてみましょう。

●日本語とはぜんぜん違う英語の母音

日本語の母音はたった5つだけなのに対して、英語は30くらいあります（学説によって異なります）。これらを全部完璧にするのは至難の業です。

本書では**「ア」に近い音**のうち、3種類だけを練習します。これだけでも、皆さんの発音はかなり上達します。

●発音にちょっとした工夫を

例えば、itは日本語式に考えると「イット」ですが、実際はtという子音で終わるので、「イッ（トゥ）」くらいになるわけです。日本語式に母音を強く発音するくせをやめるだけでも、英語らしく聞こえます。

また、同じOでも、「オー」（長母音）なのか、「オウ」（二重母音）なのか。

こういった点に注意して練習していけば、とても聞き取りやすい英語になり、ネイティブスピーカーからほめられることが多くなりますよ。

●アクセントに注意

アクセントの位置にも注意しましょう。特に日本語でもよく使われる英語は要注意です。イベント（ev**e**nt）、カレンダー（c**a**lendar）、コーヒー（c**o**ffee）など、アクセントの位置に注意すれば、ずいぶん英語らしく聞こえます。

① RとL

まずは、私たち日本人には発音することも聞き取ることも共に難しいとされるRとLです。

Rは、舌の先がどこにも当たらないようにして、喉の奥から何にも邪魔されずに「アー（ル）」と出てくる感じの音です。舌先を丸めるようにすれば発音しやすいでしょう。

それに対してLは、「エル」の「ル」を言うときに、舌先を上の歯の裏側に付けて出す音です。単語の後ろにあるLは、よく日本語の母音「ゥ」に近い音に聞こえます。

Track 76

river（川）	—	**l**iver（肝臓）
w**r**ong（間違った）	—	**l**ong（長い）
right（右、正しい）	—	**l**ight（光、明るい）

② THとS

THとSは、私たち日本人にも比較的区別しやすい音です。

Sは日本語のサ行の発音そのままで大丈夫です。

THは上下の歯の間に舌先を挟んで「サシスセソ」と言うときに出てくる音です。日本語の「タチツテト」のようにも聞こえるかもしれません。人差し指を自分の鼻先と口に当て、その人差し指に舌先が当たるようにして「サシスセソ」と言う練習をしてみましょう。

また、theのようにTHが濁って出る音も上下の歯の間から舌を出して発音し、Zと区別するようにしましょう。

Track 77

think（思う） — **sink**（沈む、流し台）
mouth（口） — **mouse**（ネズミ）
then（それから） — **Zen**（禅）

③ VとFとB

まずはBとVをきちんと区別できるようにしましょう。Bは上下の唇が一度合わさってから開いたときに出てくる音で、日本語の「バビブベボ」と一緒です。

次に上下の唇を合わせることなく、「バビブベボ」と言ってみましょう。言いにくいですね。そのとき、上の歯で下唇を軽くかむようにすれば音が出ませんか。これがVの音なのです。ずいぶんソフトで、Bの音とはぜんぜん違うことがわかるでしょう。

Fは、Vを濁らせずに、「ファフィフゥフェフォ」という感じで言えばOKです。

Track 78

best（最良の）	—	**vest**（ベスト）
berry（小果実）	—	**very**（とても）
half（半分）	—	**halve**（半分にする）

④ SHとS

「静かにしなさい」という意味で「シー」と言いますね。SHは、この「シー」という音をソフトにした感じにそっくりです。口の中に空間を作り、そこにためておいた空気をそっと少しずつ外に出しながら「シィー」と言ってみると、かなり近い音が出せると思います。

Sは、日本語の「サシスセソ」そのままです。SHがソフトな音であるのに対して、Sは明確で鋭い音になります。Sに付いている母音もしっかり発音するようにしましょう。

Track 79

she（彼女）	—	**sea**（海）
shy（内気な）	—	**sky**（空）
harsh（過酷な）	—	**harness**（馬具）

⑤ 3種類の「ア」

「ア」もいろいろな音がありますが、まずはしっかり区別したい3つの音をマスターしましょう。

1つ目はcat（ネコ）やhat（帽子）などでよく使われ、発音記号は「æ」と表記される「エア」という感じの音です。

次に、大きく口を開いて出す音で、日本語で「ア」と言う発音に似ているのが、heart（心臓）やmom（ママ）などに使われ、発音記号は「ɑ」と表記される音です。

最後は、驚いて「アッ」と言うときの短い詰まった発音で、発音記号は「ʌ」と表記される音です。nut（ナッツ）、glove（手袋）などで使われます。

Track 80

● 「æ」の例

apple（リンゴ）　**carry**（運ぶ）　**tax**（税金）

Track 81

● 「ɑ」の例

heart（心臓）　**start**（始める）　**mom**（ママ）

Track 82

● 「ʌ」の例

glove（手袋）　**southern**（南の）　**button**（ボタン）

最後にもう一つ。「ア」と「エ」の中間のような音で発音されるのが「ə」で表記される音で、career（経歴）などで使われます。これも日本人が苦手とする発音の１つなので練習しておきましょう。

Track 83

● 「ə」の例

career（職歴）　**turtle**（カメ）　**machine**（機械）